RAPPORT SUR LA COHOMOLOGIE DES GROUPES

MATHEMATICS LECTURE NOTES

Paul J. Cohen Stanford University	*Set Theory and the Continuum Hypothesis*
Walter Feit Yale University	*Characters of Finite Groups*
Marvin Greenberg Northeastern University	*Lectures on Algebraic Topology*
Serge Lang Columbia University	*Algebraic Functions*
Serge Lang Columbia University	*Rapport sur la Cohomologie des Groupes*
Jean-Pierre Serre Collège de France	*Algèbres de Lie semi-simples complexes*
Jean-Pierre Serre Collège de France	*Lie Algebras and Lie Groups*

Rapport sur la Cohomologie des Groupes

Serge Lang
Columbia University

W. A. Benjamin, Inc.
New York Amsterdam
1966

Rapport sur la Cohomologie des Groupes

Library of Congress Catalog Card Number 66-28907
Manufactured in the United States of America

The manuscript was put into production on August 31, 1966; this volume was published on February 28, 1967

W. A. Benjamin, Inc.
New York, New York 10016

PREFACE

This report was written in 1959 for Bourbaki's internal consumption. Since Bourbaki will not deal with the matter contained herein for some time, if ever, I was faced with the choice of letting the report lie forever in private files, or of publishing it as is, with its obvious and multiple imperfections. I finally choose this latter course, hoping that it will be useful to someone who wants to write a more extensive and definitive treatise on the cohomology of groups.

I assume that the reader is acquainted with the basic notions of homological algebra (nothing very deep, however). We minimize the use of complexes, to prove existence, and make explicit computations. Otherwise, we use directly the notion of δ-functor. For a succinct description of this notion, the reader is referred to Grothendieck's TOHOKU paper *Sur quelques points d'algèbre homologique*. We shall use the uniqueness theorem of Chapter I, Section 1 constantly.

The main sources for this report are Tate's private papers, and the unpublished first part of the Artin-Tate notes. The most significant exceptions to these references are: Rim's proof of the Nakayama-Tate theorem, the description of spectral sequences (given without proofs), and the treatment of cup products, for which we have used the general notion of multilinear category due to Cartier.

The chapter on cohomological dimension is essentially an unpublished article of Tate, put together from private letters and conversations with him.

A more complete treatment of the cohomology of groups would have to include the theory of cohomological operations, various theorems on cohomology rings (for example, the finite generation when the group is finite and the coefficients are the integers), and other topics which would have required more time than I was willing to devote to this report.

Serge Lang

New York, New York

June 1966

TABLE DES MATIERES

Chapitre I. Existence et Unicité 1

1. Théorèmes d'Unicité Abstraits 1
2. Notations et Théorèmes d'Unicité dans Mod(G)... 10
3. Existence ... 25
4. Formules explicites ... 35
5. Groupes cycliques ... 40

Chapitre II. Relations avec les sous-groupes 47

1. Morphismes variés ... 47
2. Groupes de Sylow ... 64
3. Représentations Induites ... 66
4. Doubles cosets ... 75

Chapitre III. Trivialité Cohomologique 81

1. Le Théorème des Jumeaux ... 81
2. Le Théorème des Triplets ... 89
3. Splitting Module et le Théorème de Tate ... 92

Chapitre IV. Cup produits 97

1. Effaçabilité et Unicité ... 97
2. Existence ... 110
3. Relations avec les sous-groupes ... 115
4. Le Théorème des Triplets ... 116
5. Anneau de Cohomologie et Dualité ... 118
6. Périodicité ... 126
7. Les Théorèmes de Tate-Nakayama ... 130
8. Nakayama Maps explicites ... 135

Chapitre V. Produits augmentés 145

1. Définition ... 145

2. Existence ... 149

Chapitre VI. Suites Spectrales 155

1. Définitions ... 155
2. Suite spectrale de Hochschild-Serre ... 158
3. Suites spectrales et Cup Produits ... 162

Chapitre VII. Groupes de Type Galois (Article non publié de Tate) 165

1. Définitions et Propriétés Elémentaires ... 165
2. Cohomologie ... 171
3. Dimension cohomologique ... 185
4. Dimension cohomologique $\leqq 1$ ... 193
5. Théorème de la Tour ... 201
6. Groupes de Galois sur un Corps ... 203

Chapitre VIII. Extensions des Groupes 211

1. Morphismes d'Extensions ... 211
2. Commutateurs et Transfert dans une Extension .. 217
3. La Déflation ... 221

Chapitre IX. Formation de Classes 225

1. Définitions ... 225
2. L'homomorphisme de Réciprocité ... 232
3. Groupes de Weil ... 243

TABLE DE NOTATIONS ... 257

INDEX ... 259

RAPPORT SUR LA COHOMOLOGIE DES GROUPES

CHAPITRE I

EXISTENCE ET UNICITE

1. Théorèmes d'Unicité Abstraits

Nous supposerons que le lecteur est familiarisé avec le langage des catégories abéliennes, et avec les procédés standards de constructions de foncteurs cohomologiques au moyen de résolutions et de complexes. Dans certains cas, nous en donnerons un résumé pour faciliter la tâche au lecteur.

Nous aurons surtout à considérer des catégories abéliennes de groupes abéliens, ou de modules. Sauf mention expresse du contraire, les foncteurs sur les catégories abéliennes (ou additives) seront supposés additifs.

Nous suivrons la terminologie de Grothendieck ("Sur quelques points d'algèbre homologique", *Tôhoku Math. J.*).

En particulier, nous appellerons δ-foncteur ce que certains auteurs appellent *connected sequence of functors*, définis seulement pour certains degrés (entiers) consécutifs, et transformant une suite exacte

$$0 \to A \to B \to C \to 0$$

en une suite exacte

$$\dots \to H^p(A) \to H^p(B) \to H^p(C) \xrightarrow{\delta} H^{p+1}(A) \to \dots$$

fonctoriellement. Si le foncteur est défini pour tous les entiers p de $-\infty$ à $+\infty$, nous dirons alors qu'il est cohomologique. On a aussi la notion de morphisme entre δ-foncteurs (un tel morphisme devant commuter avec δ).

Soit H un δ-foncteur sur une catégorie abélienne $\mathfrak{A}$. On dit que H est effaçable à droite par un sous-ensemble $\mathfrak{M}$ d'objets de $\mathfrak{A}$ si pour tout $A \in \mathfrak{A}$ il existe $M_A \in \mathfrak{M}$ et un monomorphisme $\varepsilon_A\colon A \to M_A$, et que $H(M_A) = 0$. Un foncteur d'effaçabilité à droite pour H est constitué par la donnée d'un foncteur $M\colon A \mapsto M(A) = M_A$ de $\mathfrak{A}$ dans elle même, et un monomorphisme ε de l'identité dans M, i.e. la donnée pour chaque A d'un monomorphisme

$$\varepsilon_A\colon A \to M_A$$

tel que si $u\colon A \to B$ est un morphisme dans $\mathfrak{A}$, alors on a un morphisme $M(u)$ et un diagramme commutatif:

$$\begin{array}{ccccc} 0 & \to & A & \xrightarrow{\varepsilon_A} & M(A) \\ & & u\downarrow & & \downarrow M(u) \\ 0 & \to & B & \xrightarrow{\varepsilon_B} & M(B) \end{array}$$

tel que $M(uv) = M(u)M(v)$ pour le composé de deux morphismes u, v. En outre, on doit avoir $H(M_A) = 0$ pour tout $A \in \mathfrak{A}$.

Si $X(A) = X_A$ désigne le conoyau de ε_A, on aura pour chaque u un morphisme $X(u)\colon X_A \to X_B$, uniquement déterminé tel que le diagramme suivant soit commutatif:

$$\begin{array}{ccccccccc} 0 & \longrightarrow & A & \longrightarrow & M_A & \longrightarrow & X_A & \longrightarrow & 0 \\ & & u\downarrow & & \downarrow M(u) & & \downarrow X(u) & & \\ 0 & \longrightarrow & B & \longrightarrow & M_B & \longrightarrow & X_B & \longrightarrow & 0 \end{array}$$

et pour le composé de deux morphismes u, v on aura $X(uv) = X(u)X(v)$. On appellera X le <u>cofoncteur de</u> M <u>à droite</u>.

Soit p_o un entier. Si $H = (H^p)$ est un δ-foncteur défini pour certaines valeurs de p, on dira que M est un foncteur d'effaçabilité à droite pour H <u>en dimension</u> $> p_o$ si $H^p(M_A) = 0$ pour tout $A \in \mathfrak{A}$ et tout $p > p_o$.

On a les notions analogues à gauche. Soit H un δ-foncteur exact sur $\mathfrak{A}$. On dit que H est effaçable à <u>gauche</u> par un sous-ensemble $\mathfrak{M}$ si on a un épimorphisme pour chaque A

$$\eta_A\colon M_A \to A$$

avec $M_A \in \mathfrak{M}$ tel que $H(M_A) = 0$. On a la notion de <u>foncteur d'effaçabilité à gauche</u> M pour H, constitutée par la donnée d'un épimorphisme de M dans l'identité. Si η est un tel foncteur, et $u\colon A \to B$ un morphisme, on a un diagramme commutatif, les suites horizontales étant exactes:

$$\begin{array}{ccccccccc} 0 & \longrightarrow & Y_A & \longrightarrow & M_A & \xrightarrow{\eta_A} & A & \longrightarrow & 0 \\ & & Y(u)\downarrow & & \downarrow M(u) & & \downarrow u & & \\ 0 & \longrightarrow & Y_B & \longrightarrow & M_B & \xrightarrow[\eta_B]{} & B & \longrightarrow & 0 \end{array}$$

et Y_A est fonctoriel en A, i.e. $Y(uv) = Y(u)\,Y(v)$.

Remarque: Sans se donner un foncteur H, on peut bien entendu définir un foncteur de plongement (M,ε) simplement pour la donnée d'un foncteur M et d'un monomorphisme ε ou épimorphisme η.

En outre, dans la suite, les foncteurs d'effacement que nous définirons auront la propriété additionnelle que la suite exacte associée à chaque objet A splittera sur $\mathbf{Z}$, et donc restera exacte par produits tensoriels ou homs avec (resp. dans) n'importe quoi. Un foncteur d'effacement dans une catégorie abélienne de groupe abélien qui a cette propriété sera en outre qualifié de splitting.

PREMIER THEOREME D'UNICITE - Soit $\mathfrak{A}$ une catégorie abélienne, H, F deux δ-foncteurs définis pour les degrés 0, 1 (resp. 0, -1) à valeur dans une même catégorie abélienne. Soient (ϕ_0,ϕ_1) et $(\phi_0,\bar{\phi}_1)$ deux δ-morphismes de H dans F qui coïncident en dimension 0 (resp. ϕ_{-1}, ϕ_0 et $(\bar{\phi}_{-1},\phi_0)$). Supposons que H^1 soit effaçable à droite (resp. H^{-1} effaçable à gauche). Alors on a $\phi_1 = \bar{\phi}_1$ (resp. $\phi_{-1} = \bar{\phi}_{-1}$).

Démonstration: La démonstration étant self duale, nous nous bornerons à la faire pour le cas des indices (0,1). Pour chaque objet $A \in \mathfrak{A}$ on a une suite exacte

$$0 \longrightarrow A \longrightarrow M_A \longrightarrow X_A \longrightarrow 0$$

et $H^1(M_A) = 0$. On a donc un diagramme commutatif

$$\begin{array}{ccccccc} H^o(M_A) & \longrightarrow & H^o(X_A) & \xrightarrow{\delta_H} & H^1(A) & \longrightarrow & 0 \\ \downarrow \phi_o & & \downarrow \phi_o & & \downarrow \phi_1,\bar{\phi}_1 & & \\ F^o(M_A) & \longrightarrow & F^o(X_A) & \xrightarrow[\delta_F]{} & F^1(A) & & \end{array}$$

avec des suites exactes horizontales, d'où δ_H est surjectif. On en déduit immédiatement que $\phi_1 = \bar{\phi}_1$.

Dans le théorème précédent, on s'est donné ϕ_1 et $\bar{\phi}_1$. On peut démontrer un résultat qui donne leur existence.

DEUXIEME THEOREME D'UNICITE - Soit $\mathfrak{A}$ une catégorie abélienne, H, F deux δ-foncteurs définis pour les degrés 0,1 (resp. 0, -1) à valeurs dans une même catégorie abélienne. Soit ϕ_o: $H^o \to F^o$ un morphisme. Supposons que H^1 soit effaçable à droite par des injectifs (resp. H^{-1} à gauche par des projectifs). Alors il existe un et un seul morphisme ϕ_1: $H^1 \to F^1$ (resp. ϕ_{-1}: $H^{-1} \to F^{-1}$) qui soit tel que (ϕ_o,ϕ_1) (resp. (ϕ_o,ϕ_{-1})) soit un δ-morphisme, et la correspondance $\phi_o \mapsto \phi_1$ est fonctorielle en un sens qui sera explicité plus bas.

Démonstration: La démonstration sera self duale, et nous nous bornerons par conséquent à la faire dans le cas des indices (0,1). Pour chaque objet $A \in \mathfrak{A}$ on a une suite exacte:

$$0 \longrightarrow A \longrightarrow M_A \longrightarrow X_A \longrightarrow 0$$

et $H^1(M_A) = 0$. Il nous faut définir un morphisme

$$\phi_1(A): H^1(A) \longrightarrow F^1(A)$$

qui commute avec les morphismes induits et avec δ.

On a un diagramme commutatif

$$\begin{array}{ccccccc}
H^o(M_A) & \longrightarrow & H^o(X_A) & \xrightarrow{\delta_H} & H^1(A) & \longrightarrow & 0 \\
\phi_o \downarrow & & \phi_o \downarrow & & & & \\
F^o(M_A) & \longrightarrow & F^o(X_A) & \xrightarrow[\delta_F]{} & F^1(A) & &
\end{array}$$

et les suites horizontales sont exactes. La surjectivité à droite n'est que l'hypothèse d'effacement. La commutativité à gauche montre que Ker δ_H est contenu dans le noyau de $\delta_F\phi_o(X_A)$. En conséquence il existe un et un seul morphisme $\phi_1(A): H^1(A) \rightarrow F^1(A)$ qui rende le carré de droite commutatif. Nous allons montrer que $\phi_1(A)$ répond aux conditions désirées.

Soit d'abord $u: A \rightarrow B$ un morphisme. En vertu des hypothèses, il existe un diagramme commutatif

$$\begin{array}{ccccccccc}
0 & \longrightarrow & A & \longrightarrow & M_A & \longrightarrow & X_A & \longrightarrow & 0 \\
 & & u \downarrow & & \downarrow M(u) & & \downarrow X(u) & & \\
0 & \longrightarrow & B & \longrightarrow & M_B & \longrightarrow & X_B & \longrightarrow & 0
\end{array}$$

le morphisme $M(u)$ étant défini parce que M_A est injectif. Le morphisme $X(u)$ est alors celui qui rend le carré de droite commutatif. Pour simplifier les notations écrivons u au lieu de $M(u)$ et $X(u)$.

Considérons le cube:

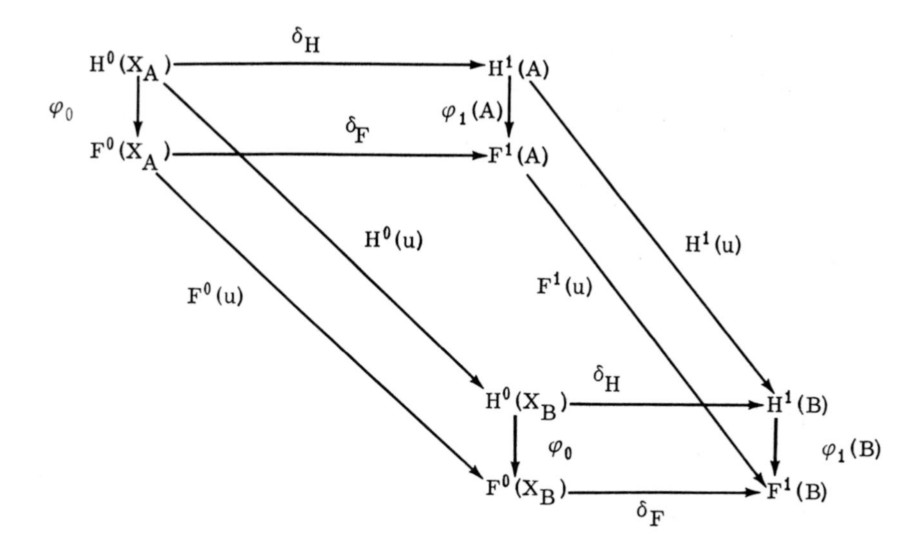

Il faut montrer que la face de droite est commutative. On a:

$$\begin{aligned}
\phi_1(B)H^1(u)\ \delta_H &= \phi_1(B)\ \delta_H\ H^o(u) \\
&= \delta_F\ \phi_o\ H^o(u) \\
&= \delta_F\ F^o(u)\ \phi_o \\
&= F^1(u)\delta_F\phi_o \\
&= F^1(u)\phi_1(A)\delta_H.
\end{aligned}$$

On s'est servi du fait (contenu dans les hypothèses) que toutes les faces du cube sont commutatives sauf peut-être celle de droite. Comme δ_H est surjective, on trouve ce qu'on cherchait, c'est à dire

$$\phi_1(B)H^1(u) = F^1(u)\phi_1(A).$$

(A retenir le lemme utile: Si dans un cube toutes les faces sont commutatives, sauf une, et l'une des arêtes comme ci-dessus est surjective, alors cette face est aussi commutative).

Il faut maintenant montrer que ϕ_1 commute avec δ, c'est à dire que (ϕ_o,ϕ_1) est un δ-morphisme. Soit

$$0 \longrightarrow A' \longrightarrow A \longrightarrow A'' \longrightarrow 0$$

une suite exacte dans $\mathfrak{A}$. Alors il existe des morphismes $v: A \rightarrow M_{A'}$ et $w: A'' \rightarrow X_{A'}$ tels que le diagramme suivant soit commutatif,

$$\begin{array}{ccccccccc} 0 & \longrightarrow & A' & \longrightarrow & A & \longrightarrow & A'' & \longrightarrow & 0 \\ & & \downarrow{\scriptstyle id.} & & \downarrow{\scriptstyle v} & & \downarrow{\scriptstyle w} & & \\ 0 & \longrightarrow & A' & \longrightarrow & M_{A'} & \longrightarrow & X_{A'} & \longrightarrow & 0 \end{array}$$

ceci puisque $M_{A'}$ est injectif. On en tire le diagramme commutatif suivant:

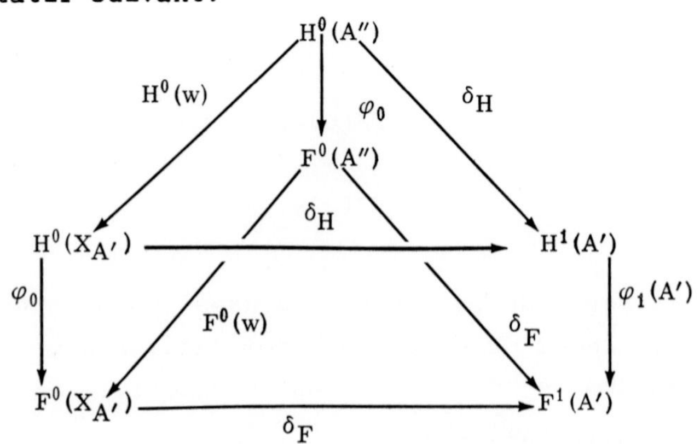

Il s'agit de démontrer que le carré de droite est commutatif. On remarquera que les triangles du haut et du bas sont commutatifs par définition d'un δ-foncteur. Le carré de gauche est commutatif en vertu de l'hypothèse que ϕ_o est un morphisme de foncteur. Celui de face est commutatif par définition de $\phi_1(A')$. On trouve donc

$$\phi_1(A')\delta_H = \phi_1(A')\delta_H\, H^o(w) \qquad \text{(triangle du haut)}$$

$$= \delta_F\, \phi_o\, H^o(w) \qquad \text{(carré de face)}$$

$$= \delta_F\, F^o(w)\, \phi_o \qquad \text{(carré de gauche)}$$

$$= \delta_F\, \phi_o \qquad \text{(triangle du bas)}$$

ce qui termine la démonstration.

Enfin, explicitons ce que nous voulons dire par le fait que ϕ_1 dépend fonctoriellement de ϕ_o. Supposons qu'on ait trois foncteurs H, F, E définis pour les degrés 0, 1, et supposons donnés $\phi_o\colon H^o \to F^o$ et $\Psi_o\colon F^o \to E^o$. Supposons en outre que notre effacement efface H^1 et F^1. On peut alors construire ϕ_1 et Ψ_1 en appliquant le théorème. D'autre part, la composition $\Psi_o\, \phi_o = \theta_o\colon H^o \to E^o$ est aussi un morphisme, et le théorème nous donne l'existence d'un morphisme $\theta_1\colon H^1 \to E^1$ tel que (θ_o,θ_1) soit un δ-morphisme. D'après l'unicité, on a donc

$$\theta_1 = \Psi_1 \circ \phi_1.$$

C'est ce que nous entendons par l'assertion que ϕ_1 dépend fonctoriellement de ϕ_o.

2. Notations et Théorèmes d'Unicité dans Mod(G)

Soit G un groupe. On désigne comme d'habitude par $\mathbf{Z}$, $\mathbf{Q}$ les entiers et les rationnels. On désignera par $\mathbf{Z}(G)$ l'anneau du groupe sur $\mathbf{Z}$: Additivement, c'est un module libre sur $\mathbf{Z}$, une base étant constituée par les éléments de G. Multiplicativement on a:

$$\Big(\sum_{\sigma\in G} a_\sigma \sigma\Big)\Big(\sum_{\tau\in G} b_\tau \tau\Big) = \sum_{\sigma,\tau} a_\sigma b_\tau \sigma\tau$$

les sommes étant prises sur tous les éléments de G, mais tous les a_σ et b_τ étant 0, sauf un nombre fini. De même on définit l'anneau du groupe $k(G)$ sur un anneau commutatif k quelconque.

L'anneau du groupe sera souvent noté $\Gamma = \Gamma_G$. Il contient un idéal $I = I_G$, noyau de l'homomorphisme

$$\varepsilon: \mathbf{Z}(G) \longrightarrow \mathbf{Z}$$

qui s'obtient en définissant $\varepsilon(\sum n_\sigma \sigma) = \sum n_\sigma$. On voit que I_G est un module libre sur $\mathbf{Z}$, engendré par les éléments $(\sigma - 1)$, σ parcourant G, et $\sigma \neq 1$. En effet, si $\sum n_\sigma = 0$ on peut écrire

$$\sum n_\sigma \sigma = \sum n_\sigma(\sigma-1).$$

On a donc une suite exacte:

$$0 \longrightarrow I_G \longrightarrow \mathbf{Z}(G) \xrightarrow{\varepsilon} \mathbf{Z} \longrightarrow 0.$$

Cette suite exacte sera employée constamment dans la suite. Elle splitte, car $\mathbf{Z}(G)$ est somme directe de $\mathbf{Z}$ et de I_G. En effet, on voit immédiatement que les éléments $(\sigma-1)$ lorsque σ parcourt G, $\sigma \neq 1$, et l'élément 1 de $\mathbf{Z}(G)$, forment une $\mathbf{Z}$-base de $\mathbf{Z}(G)$, et on a donc

$$\mathbf{Z}(G) = I_G \oplus \mathbf{Z}.1 .$$

En effet, un élément $\sum n_\sigma \sigma$ s'écrit

$$\sum_\sigma n_\sigma \sigma = \sum_{\sigma \neq 1} n_\sigma(\sigma-1) + \sum_\sigma n_\sigma.1$$

et cette décomposition est unique.

Un groupe abélien A sera dit être un G-module si G <u>opère</u> sur A, c'est à dire qu'on s'est donné une application

$$G \times A \longrightarrow A$$

satisfaisant aux conditions:

$$(\sigma\tau)a = \sigma(\tau a) \qquad 1.a = a \qquad \sigma(a+b) = \sigma a+\sigma b$$

pour $\sigma,\tau \in G$, 1 étant l'élément unité dans G, et a, $b \in A$. On étend par linéarité l'opération de G à l'anneau du groupe $\mathbf{Z}(G)$. De même, si k est un anneau commutatif, et A un k-module, on étend l'opération de G sur A à $k(G)$.

Les groupes abéliens, notés additivement, forment une

catégorie abélienne, les morphismes étant les homomorphismes. On les appellera souvent des $\mathbf{Z}$-modules, et la catégorie sera notée Mod($\mathbf{Z}$). De même, la catégorie des modules sur un anneau R sera notée Mod(R).

Les G-modules forment une catégorie abélienne, les morphismes étant les G-homomorphismes. De façon précise, si $f: A \to B$ est un morphisme dans Mod($\mathbf{Z}$), et si A, B sont des G-modules, alors G opère sur Hom(A,B) par la formule :

$$(\sigma f)(a) = \sigma(f(\sigma^{-1}a)) \qquad a \in A, \sigma \in G.$$

Si $\sigma f = f$, on dira que f est un G-homomorphisme, ou G-<u>morphisme</u>. Les G-morphismes de A dans B forment un groupe noté $\mathrm{Hom}_G(A,B)$. La catégorie constituée par les G-modules, les morphismes étant les G-morphismes, sera notée <u>Mod(G)</u>. C'est la même que Mod(Γ_G). (Il n'y a pas de dangereuse confusion avec la notation Mod(R).)

Soit $A \in$ Mod(G). Par A^G on notera le sous-module de A constitué par les éléments $a \in A$ tels que $\sigma a = a$ pour tous $\sigma \in G$. C'est un groupe abélien, et on a un foncteur

$$H_G^0 : A \longmapsto A^G$$

de Mod(G) dans la catégorie des groupes abéliens, aussi notée <u>Grab</u>.

On désignera par κ_G l'application canonique d'un élément $a \in A^G$ dans $H_G^0(A)$.

THEOREME 3 - <u>Soit</u> H_G <u>un foncteur cohomologique sur</u> Mod(G) <u>à valeur dans</u> Mod($\mathbf{Z}$), <u>et tel que</u> H_G^0 <u>soit comme ci-dessus</u>.

Supposons que $H_G^r(M) = 0$ _si_ M _est injectif et_ $r \geq 1$, _et_ $H_G^r(A) = 0$ _pour tout_ $A \in \mathrm{Mod}(G)$, et $r < 0$. _Alors deux tels foncteurs cohomologiques sont isomorphes_, _par un isomorphisme uniquement déterminé par sa valeur sur_ H_G^0.

Ce théorème est un cas particulier du théorème d'unicité abstrait.

COROLLAIRE 1 - _Si_ $G = 1$, _alors_ $H_G^r(A) = 0$ _pour_ $r > 0$.

Démonstration: On vérifie immédiatement que si l'on définit H_G comme étant $H_G^0(A) = A^G$ et 0 en dimensions supérieures, c'est un foncteur cohomologique. On applique alors le théorème d'unicité.

COROLLAIRE 2 - _Soit_ $n \in \mathbf{Z}$, _et_ $n: A \to A$ _le morphisme_ $a \mapsto na$ _pour_ $a \in A$. _Alors_ $H_G^r(n) = n$ _pour tout_ r.

Démonstration: Le cobord δ étant additif, il commute avec n, et on applique de nouveau l'unicité.

Nous démontrerons l'existence du foncteur H_G au numéro suivant.

On dira que G opère _trivialement_ sur A si $A = A^G$, autrement dit, si $\sigma a = a$ pour tout $a \in A$ et $\sigma \in G$. On supposera toujours que G opère trivialement sur $\mathbf{Z}$, $\mathbf{Q}$, et $\mathbf{Q}/\mathbf{Z}$.

On désignera par A_G le groupe abélien A/I_GA, i.e. le groupe facteur de A par les éléments de la forme $(\sigma-1)a = \sigma a - a$ pour $\sigma \in G$ et $a \in A$. On a visiblement un foncteur

$$A \longmapsto A_G$$

de Mod(G) dans Grab. On ne l'emploiera presque jamais dans la suite, vu que c'est un foncteur homologique, à peu près bon à rien.

Soit U un sous-groupe de G d'indice fini. On peut alors définir la <u>trace</u>

$$S_G^U : A^U \longrightarrow A^G$$

par la formule:

$$S_G^U(a) = \sum_c \bar{c}a$$

où c parcourt les cosets à gauche, et $\bar{c}$ est un représentant de c (on a donc $G = \bigcup_c \bar{c}U$). Si $U = 1$, alors G est fini, et dans ce cas on écrira la trace S_G. On a donc:

$$S_G(a) = \sum_{\sigma \in G} \sigma a$$

si G est fini.

On aura souvent besoin du résultat suivant:

PROPOSITION 1 - *Soient* A, B, C *dans* Mod(G). *Soit* U *un sous-groupe d'indice fini dans* G. *Soient*:

$$A \xrightarrow{u} B \xrightarrow{v} C \xrightarrow{w} D$$

trois morphismes, et supposons que u, w soient des G-morphismes et v un U-morphisme. Alors on a :

$$S_G^U(wvu) = wS_G^U(v)u.$$

Démonstration: Evidente.

Nous allons maintenant décrire des foncteurs de plongement pour la catégorie Mod(G).

La classe des injectifs ou projectifs ne suffit pas dans les applications comme annulateurs de la cohomologie, ceci pour plusieurs raisons. D'une part, quand on change de groupe, un injectif ne reste pas forcément injectif, et d'autre part une suite exacte du type

$$0 \longrightarrow A \longrightarrow I_A \longrightarrow A'' \longrightarrow 0$$

ne reste pas forcément exacte quand on prend son produit tensoriel avec un module B quelconque. Nous allons donc considérer une autre classe de module, qui se comporte mieux par rapport à ces propriétés.

Soit G un groupe et B un groupe abélien, i.e. un module sur $\mathbf{Z}$. On désignera par $M_G(B)$ les fonctions de G dans B, celles-ci formant un groupe abélien aussi par l'addition des valeurs. De plus, on fait de $M_G(B)$ un élément de Mod(G) en définissant l'opération de G par

$$(\sigma f)(x) = f(x\sigma) \qquad x,\sigma \in G.$$

On a évidemment $(\sigma\tau)(f) = \sigma(\tau f)$. On voit immédiatement que

PROPOSITION 2 - M_G est un foncteur covariant, additif exact de Grab dans Mod(G).

en se servant de la

PROPOSITION 3 - _Soit_ G' _un sous-groupe de_ G _et_ $G = \bigcup x_\alpha G'$ _une décomposition de_ G _en cosets. Pour_ $f \in M(G,B)$ _soit_ f_α _la fonction dans_ $M(G',B)$ _telle que_ $f_\alpha(y) = f(x_\alpha y)$, _pour_ y G'. _Alors l'application_

$$f \longmapsto \Pi f_\alpha$$

établit un isomorphisme entre $M(G,B)$ _et le produit direct sur les indices_ α _de_ $M(G',B)$, _dans la catégorie des_ G'-_modules_.

Démonstration: Evidente.

Soit $A \in \text{Mod}(G)$, et définissons

$$\varepsilon_A : A \longrightarrow M_G(A)$$

par la condition $\varepsilon_A(a)$ = la fonction f_a telle que $f_a(\sigma) = \sigma a$ pour $a \in A$ et $\sigma \in G$. On obtient alors une suite exacte

$$0 \longrightarrow A \xrightarrow{\varepsilon_A} M_G(A) \longrightarrow X_A \longrightarrow 0 \qquad (1)$$

dans $\text{Mod}(G)$. En outre, cette suite splitte sur $\mathbf{Z}$, car l'application de $M_G(A) \longrightarrow A$ donnée par $f \longmapsto f(1)$ évidemment splitte la partie gauche de cette suite, i.e. composée avec ε_A donne l'identité sur A. En conséquence, on pourra tensoriser cette suite avec un B quelconque et et conserver l'exactitude.

On sait déjà que M_G est un foncteur exact. Si en outre on a un morphisme $\phi: A \longrightarrow B$ dans Mod(G), alors dans le diagramme suivant:

$$\begin{array}{ccccccccc} 0 & \longrightarrow & A & \xrightarrow{\varepsilon_A} & M_G(A) & \longrightarrow & X_A & \longrightarrow & 0 \\ & & \downarrow{\scriptstyle\phi} & & \downarrow{\scriptstyle M_G(\phi)} & & \downarrow{\scriptstyle X(\phi)} & & \\ 0 & \longrightarrow & B & \xrightarrow[\varepsilon_B]{} & M_G(B) & \longrightarrow & X_B & \longrightarrow & 0 \end{array} \qquad (2)$$

le carré de gauche est commutatif, et par conséquent celui de droite aussi, par définition.

Nous avons donc le théorème suivant :

THEOREME 4 - _Soit_ G _un groupe_. _Les notations étant comme ci-dessus_, (M_G,ε) _est un foncteur de plongement dans_ Mod(G). _La suite exacte associée_ (1) _splitte sur_ $\mathbb{Z}$ _pour chaque_ A.

Nous définirons au numéro suivant un foncteur cohomologique H_G sur Mod(G) pour lequel (M_G,ε) sera un foncteur d'effacement. En vertu de la proposition 3, on aura en fait le résultat plus fort suivant :

COROLLAIRE - _Si_ G' _est un sous-groupe de_ G, _alors en considérant_ Mod(G) _comme sous-catégorie de_ Mod(G'), $H_{G'}$ _est un foncteur cohomologique sur_ Mod(G), _et_ (M_G,ε) _est un foncteur d'effacement pour_ $H_{G'}$.

Le foncteur d'effacement que nous venons de définir sera appelé le foncteur d'effacement _ordinaire_.

Remarque: Soit U un sous groupe de G d'indice fini, et $A, B \in$ Mod(G). Soit $\phi: A \longrightarrow B$ un U-morphisme. On peut prendre la trace $S_G^U(\phi): A \longrightarrow B$ et ce sera un G-morphisme. En outre, si on considère Mod(G) comme sous-catégorie de Mod(U), alors (M_G, ε) est un foncteur de plongement relativement à U, c'est à dire qu'il existe des U-morphismes $M_G(\phi)$ et $X(\phi)$ tels que le diagramme (2) soit commutatif, mais avec des U-morphismes verticaux.

En appliquant la trace à ces morphismes verticaux, et en y faisant entrer et sortir les morphismes horizontaux, on trouve un diagramme commutatif:

$$\begin{array}{ccccccccc} 0 & \longrightarrow & A & \xrightarrow{\varepsilon_A} & M_G(A) & \longrightarrow & X_A & \longrightarrow & 0 \\ & & \downarrow S_G^U(\phi) & & \downarrow S_G^U M_G(\phi) & & \downarrow S_G^U X(\phi) & & \\ 0 & \longrightarrow & B & \xrightarrow[\varepsilon_B]{} & M_G(B) & \longrightarrow & X_B & \longrightarrow & 0 \end{array} \qquad (3)$$

<u>Pour le reste de ce numéro</u>, <u>supposons que</u> G <u>soit fini</u>.

Nous avons deux foncteurs de Mod(G) dans Mod($\mathbf{Z}$), à savoir

$$\mathbf{H}_G^0 : A \longmapsto A^G/S_G A$$

$$\mathbf{H}_G^{-1} : A \longmapsto A_{S_G}/I_G A$$

On note A_{S_G} le noyau de S_G dans A. En général, si

$$\phi: A \longrightarrow B$$

est un homomorphisme, on note A_ϕ son noyau.

Nous désignerons par κ_G l'application canonique de A^G dans $\mathbf{H}^0_G(A) = A^G/S_G A$. Nous désignerons par $Ж_G$ l'application canonique de A_{S_G} dans $\mathbf{H}^{-1}_G(A) = A_{S_G}/I_G A$.

La démonstration du théorème suivant est facile et sera laissée au lecteur.

THEOREME 5 - <u>Les foncteurs</u> $\mathbf{H}^{-1}_G$ <u>et</u> $\mathbf{H}^0_G$ <u>forment un</u> δ-<u>foncteur si l'on définit le cobord de la façon suivante</u>. <u>Soit</u>

$$0 \to A' \xrightarrow{u} A \xrightarrow{v} A'' \to 0$$

<u>une suite exacte dans</u> Mod(G). <u>On définit pour</u> $a'' \in A''_{S_G}$

$$\delta Ж_G(a'') = \underline{\kappa}_G(u^{-1} S_G v^{-1} a'').$$

(Les images réciproques ont la signification habituelle). On choisit d'abord n'importe quel élément a tel que $va = a''$, puis on forme sa trace S_G. On montre que c'est un élément dans l'image de u, et on peut donc prendre u^{-1}. On trouve un élément de A'^G, dont la classe modulo $S_G A'$ est bien définie, i.e. est indépendante du choix de a au début tel que $va = a''$. La vérification de ces assertions est triviale et nous la laissons au lecteur.

THEOREME 6 - <u>Soit</u> $\mathbf{H}_G$ <u>un foncteur cohomologique sur</u> Mod(G) <u>le groupe</u> G <u>étant fini</u>, <u>à valeur dans</u> Mod($\mathbf{Z}$), <u>et tel que</u> $\mathbf{H}^0_G$ <u>soit comme ci-dessus</u>. <u>Supposons que</u> $\mathbf{H}^r_G(M) = 0$ <u>si</u> M *est injectif et* $r \geqq 1$, *et* $H^r_G(M) = 0$ *si* M *est projectif et* $r \leqq 0$.

Si on se donne un autre foncteur cohomologique ayant les mêmes propriétés, il existe un isomorphisme unique de l'un sur l'autre qui soit l'identité sur H^0_G.

Démonstration: C'est un cas particulier du théorème d'unicité.

COROLLAIRE 1 - *Si* $G = 1$, *alors* $H^r_G(A) = 0$ *pour* $r \in \mathbf{Z}$.

COROLLAIRE 2 - *Soit* $n \in \mathbf{Z}$, *et* G *fini*, $A \in \mathrm{Mod}(G)$, *et* $n: A \to A$ *le* G-*morphisme* $a \mapsto na$, *pour* $a \in A$. *Alors* $H^r_G(n) = n$ *pour tout* $r \in \mathbf{Z}$.

Ces deux corollaires sont des conséquences du théorème d'unicité.

Si $v: A \to B$ est un morphisme, mais A, B sont dans Mod(G), alors G opère sur $\mathrm{Hom}(A,B)$ par la formule:

$$(\sigma v)(a) = \sigma(v(\sigma^{-1}a)).$$

Plus généralement, soient K_1, K_2, K trois anneaux commutatifs, et T un bifoncteur additif de $\mathrm{Mod}(K_1) \times \mathrm{Mod}($ dans $\mathrm{Mod}(K)$. Alors $T(A_1,A_2)$ est un $K(G)$-module, sous l'opération de $T(\sigma,\sigma)$ si T est covariant dans les deux variables, et $T(\sigma^{-1},\sigma)$ si T est contravariant dans la première et covariant dans la seconde. On appliquera cette remarque dans les cas où T est le produit tensoriel ou Hom.

On dira qu'un $K(G)$-module A est $K(G)$-*régulier* si

l'identité 1_A est une trace, i.e. s'il existe un K-morphisme $v: A \to A$ tel que $1_A = S_G(v)$. Si $K = \mathbb{Z}$, on dit simplement _G-régulier_.

PROPOSITION 4 - _Soient comme ci-dessus_ K_1, K_2, K _trois anneaux commutatifs, et soit_ A_i _G-régulier pour_ $i = 1$ _ou_ $i = 2$. _Alors_ $T(A_1,A_2)$ _est_ $K(G)$_-régulier_.

Démonstration: Standard.

PROPOSITION 5 - _Soit_ G' _un sous-groupe de_ G, _et_ A dans $Mod_K(G)$. _Si_ A _est_ $K(G)$_-régulier, alors_ A _est_ $K(G')$_-régulier_. _Si_ G' _est normal dans_ G, _alors_ $A^{G'}$ _est_ $K(G/G')$_-régulier_.

Démonstration: On écrit $G = \cup G' x_i$ une décomposition en cosets, et on a :

$$1_A = \sum_{\tau \in G'} \sum_i \tau x_i v.$$

Nos assertions sont alors évidentes, selon qu'on prenne la somme sur τ d'abord, ou après.

PROPOSITION 6 - _Soit_ K _un anneau commutatif, et_ A dans $Mod_K(G)$. _Alors_ A _est_ $K(G)$_-projectif si et seulement si_ A _est_ K-_projectif et_ $K(G)$_-régulier_.

Démonstration: On rappelle qu'un projectif est facteur direct d'un libre et réciproquement. Supposons que A soit $K(G)$-projectif. On peut écrire:

$$A \xrightarrow{i} A \times B = L \xrightarrow{\pi} A$$

où i est une injection et π une surjection dans $Mod_K(G)$, et $\pi i = 1_A$. En outre, L est libre. On a $1_L = S_G(v)$ avec $v \in Mod(K)$. On trouve donc $1_A = \pi 1_L i = \pi S_G(v) i = S_G(\pi\ vi)$, d'où A est K(G)-régulier.
Réciproquement, soit :

$$L \xrightarrow{\pi} A \to 0$$

une suite exacte dans $Mod_K(G)$, avec L libre. Il existe un K-morphisme $i_K : A \to L$ tel que $\pi i_K = 1_A$ et il existe par hypothèse un K-morphisme $v : A \to A$ tel que $1_A = S_G(v)$. On trouve:

$$\pi S_G(i_K v) = S_G(\pi i_K v) = S_G(v) = 1_A$$

ce qui montre que $S_G(i_K v)$ splitte π, d'où A est facteur direct d'un libre, et donc K(G)- projectif.

Remarquons d'ailleurs qu'on a aussi le résultat suivant:

PROPOSITION 7 - _Dans_ Mod(G), _un facteur direct d'un objet_ G-_régulier_ _est_ G-_régulier_.

La démonstration est la même que celle qui précède: On prend la trace de la projection.

COROLLAIRE - _Tout objet projectif dans Mod_(G) _est_ G-_régulier_.

Démonstration: C'est évident pour les libres, et donc pour les projectifs.

Nous allons maintenant définir un foncteur de plongement quelque peu différent de celui que nous avons défini pour les groupes quelconques, et qui jouira de propriétés plus fortes.

Nous considérerons les deux suites exactes:

$$(4) \quad 0 \to I_G \to \mathbf{Z}(G) \xrightarrow{\varepsilon} \mathbf{Z} \to 0$$

$$(5) \quad 0 \to \mathbf{Z} \xrightarrow[\varepsilon']{} \mathbf{Z}(G) \to J_G \to 0$$

La première n'est autre que celle écrite au début de ce numéro. La seconde se définit comme suit. On plonge $\mathbf{Z}$ dans $\mathbf{Z}(G)$ par la formule

$$\varepsilon' : n \mapsto n \left(\sum_{\sigma \in G} \sigma \right)$$

i.e. sur la "diagonale". L'action de G étant triviale sur $\mathbf{Z}$, on voit immédiatement que nous avons bien un G-morphisme. Son conoyau est noté J_G.

PROPOSITION 8 - <u>Les suites exactes</u> (4) <u>et</u> (5) <u>ci-dessus splittent dans</u> Mod($\mathbf{Z}$).

<u>Démonstration</u>: Nous le savons déjà pour la première. Pour la seconde, on trouve pour un élément $\xi = \sum n_\sigma \sigma$ la décomposition

$$\xi = n_1 \left(\sum_{\sigma \in G} \sigma \right) + \sum_{\sigma \neq 1} (n_\sigma - n_1) \sigma$$

$$\in \mathbf{Z} \left(\sum_{\sigma \in G} \sigma \right) + \sum_{\sigma \neq 1} Z \sigma$$

ce qui met bien en évidence le fait que $\mathbf{Z}(G)$ est somme directe de $\varepsilon'(\mathbf{Z})$ et d'un autre module.

Comme fait général élémentaire de la théorie des

catégories abéliennes, si on regarde le bifoncteur "produit tensoriel", on sait que si une suite:

$$0 \to A' \to A \to A'' \to 0$$

est exacte dans une catégorie abélienne de groupes abéliens $\mathfrak{A}$, et splitte sur $\mathbf{Z}$, alors pour tout B, la suite

$$0 \to A'\otimes B \to A\otimes B \to A'' \otimes B \to 0$$

est exacte et splitte.

En particulier, quel que soit $A \in \mathrm{Mod}(G)$, nous obtenons des suites exactes en tensorisant (4) et (5) avec A, et donc des G-morphismes $\varepsilon_A = \varepsilon \otimes 1$ et $\varepsilon'_A = \varepsilon' \otimes 1$.

$$(4A) \quad 0 \to I_G\otimes A \to \mathbf{Z}(G)\otimes A \overset{\varepsilon_A}{\to} \mathbf{Z}\otimes A = A \to 0$$

$$(5A) \quad 0 \to A = \mathbf{Z}\otimes A \underset{\varepsilon'_A}{\to} \mathbf{Z}(G)\otimes A \to J_G\otimes A \to 0$$

Comme d'habitude, on peut identifier $\mathbf{Z}\otimes A$ avec A. Si on désigne par $M_G(A)$ le foncteur $A \mapsto \mathbf{Z}(G) \otimes A$, on voit que ε_A et ε'_A font de M_G un foncteur de plongement à gauche et à droite respectivement.

Dans chaque cas, on voit immédiatement que si $\phi : A \to B$ est un G-morphisme, ou plus généralement si G' est un sous-groupe de G, et $A, B \in \mathrm{Mod}(G)$ et ϕ est un G'-morphisme, alors

$$M_G(\phi) = 1 \otimes \phi$$

est un G'-morphisme.

Nous avons donc démontré le résultat suivant

HEOREME 7 - Soit G un groupe fini. Posons $M_G(A) =$ (G) $\otimes A$, et relativement aux suites exactes (4) et (5), sons:

$$\varepsilon'_A = \varepsilon' \otimes 1 \qquad \text{et} \qquad \varepsilon_A = \varepsilon \otimes 1 .$$

lors (M_G, ε') resp. (M_G, ε) sont des foncteurs de longement à droite, resp. à gauche, et ils splittent. our chaque A, $M_G(A)$ est G-régulier.

Nous définirons au numéro suivant un foncteur cohoologique sur Mod(G), qui sera noté $\mathbf{H}_G$, et pour lequel s foncteurs du théorème précédent seront des foncteurs 'effacement.

Existence

Pour démontrer l'existence de foncteurs cohomoloiques, on a les procédés suivants:

HEOREME 8 - Soient $\mathfrak{A}$, $\mathfrak{B}$ deux catégories abéliennes. oit $Y : \mathfrak{A} \to C(\mathfrak{B})$ un foncteur exact. Alors il existe foncteur cohomologique H sur $\mathfrak{A}$ à valeur dans $\mathfrak{B}$ el que $H^i(A) =$ homologie de $Y(A)$ en dimension i. i on a une suite exacte:

$$0 \to A' \xrightarrow{u} A \xrightarrow{v} A'' \to 0$$

donc également une suite exacte:

$$0 \to Y(A') \xrightarrow{Y(u)} Y(A) \xrightarrow{Y(v)} Y(A'') \to 0$$

le cobord est induit par la formule usuelle

$Y(u)^{-1}.d.Y(v)^{-1}$.

COROLLAIRE - *Soient* $\mathfrak{A}_1$, $\mathfrak{A}$ *deux catégories abéliennes* F *un bifoncteur sur* $\mathfrak{A}_1 \times \mathfrak{A}$ *à valeur dans* $\mathfrak{B}$, *contravariant* (resp. *covariant*) *dans la première variable et covariant dans la seconde.* *Soit* X *un complexe dans* $C(\mathfrak{A}_1)$ *tel que le foncteur* F(X,A) *sur* $\mathfrak{A}$ *soit exact. Alors il existe un foncteur cohomologique* (resp. *homologique*) H *sur* $\mathfrak{A}$ *à valeur dans* $\mathfrak{B}$, *obtenu comme dans le Théorème* 2, *avec* F(X,A) = Y(A).

En outre, lorsqu'il existe suffisamment d'injectifs dans une catégorie, on a la notion de foncteur dérivé, qu'on obtient comme suit:

THEOREME 9 - *Soit* $F : \mathfrak{A} \rightarrow \mathfrak{C}$ *un foncteur, et supposons qu'à chaque* $A \in \mathfrak{A}$ *il existe une résolution injective. Supposons* F *exacte à gauche. Alors il existe un foncte cohomologique* H *sur* A *tel que si* $A \rightarrow X$ *est une résolution injective, alors le foncteur* $H^i(A)$ *est isomorphe au i-ème groupe d'homologie du complexe* F(X) *pour* $i \geq 0$, *et* $H^o = F$.

On fera attention d'écrire une résolution injective de A comme suit:

$$
\begin{array}{ccccccccc}
\rightarrow & 0 & \rightarrow & X_o & \rightarrow & X_1 & \rightarrow & X_2 & \\
 & & & \uparrow & & \uparrow & & \uparrow & \\
\rightarrow & 0 & \rightarrow & A & \rightarrow & 0 & \rightarrow & 0 & \\
 & & & \uparrow & & \uparrow & & & \\
 & & \rightarrow & 0 & \rightarrow & 0 & \rightarrow & &
\end{array}
$$

c'est-à-dire qu'on identifie A au complexe indiqué sur le diagramme. Remarque analogue pour les résolutions ojectives.

EOREME 10 - Soit X une résolution projective de $\mathbb{Z}$ ns Mod(G). Alors en prenant $F = Hom_G$ dans le corol-ire du Théorème 7, le foncteur cohomologique $\{H^i\}$ r la catégorie Mod(G) est tel que:

1.) $H^i(A) = 0$ si $i < 0$.

2.) H^o est isomorphe au foncteur $A \mapsto A^G$.

3.) $H^i(A) = 0$ si A est injectif pour $i > 0$.

4.) H^i est effacé par M_G si $i > 0$.

nonstration: La première propriété est évidente. La :onde provient de la suite exacte

$$0 \to Hom_G(Z,A) \to Hom_G(X_o,A) \to Hom_G(X_1,A)$$

:c la remarque que le foncteur $Hom_G(\mathbb{Z},A)$ est isomorphe foncteur voulu. La troisième n'est que la proposition Pour la quatrième, voir prop. 11 plus bas.

Le début de la suite exacte est donc:

$$(1) \quad 0 \to A'^G \to A^G \to A''^G \to H^1(A)$$

nd on s'est donné $0 \to A' \to A \to A'' \to 0$, applications étant les applications d'inclusion.

Dualement, dans l'anneau du groupe Γ considérons déal I engendré par les éléments $\sigma-1$ lorsque σ court G. Si $A \in Mod(G)$, alors IA est le G-module endré par les éléments $\sigma a - a$, $a \in A$, et est même constitué par ces éléments, car pour $\tau \in G$, on peut écrire $\tau(\sigma - 1) = \tau\sigma - \tau = \tau\sigma - 1 + 1 - \tau$.

On considérera le foncteur $A \mapsto A_G = A/IA$ de Mod(G) dans Grab, qui est en quelque sorte dual de $A \mapsto A^G$. Si $A, B \in \text{Mod}(G)$ on définira $A \otimes_G B = (A \otimes B)_G$. C'est un bifoncteur sur Mod(G) $\times$ Mod(G) à valeur dans Grab, covariant dans les deux variables. En outre, on a:

PROPOSITION 9 - Si A est projectif dans Mod(G), alors le foncteur $B \mapsto A \otimes_G B$ est exact.

Démonstration: C'est évident quand A est Γ-libre, et donc quand A est projectif.

THEOREME 11 - Soit X une résolution projective de $\mathbf{Z}$, dans Mod(G). Alors en prenant $F = \otimes_G$ dans le corollaire du Théorème 7, on trouve un foncteur homologique $\{H_i\}$ tel que:

1.) $H_i(A) = 0$ si $i>0$.

2.) $H_o(A)$ est isomorphe au foncteur $A \mapsto A_G$.

3.) $H_i(A) = 0$ si A est projectif et $i>0$.

Démonstration: La première propriété est évidente. La seconde provient du fait que:

$$X_1 \otimes_G A \to X_o \otimes_G A \to \mathbf{Z} \otimes_G A \to 0$$

est exacte, et que $\mathbf{Z} \otimes_G A$ est fonctoriellement isomorphe A_G. La troisième provient de la proposition 2.

Le début de la suite exacte peut donc se formuler comme suit.

$$(2) \quad \ldots \to H_1(A'') \to A'_G \to A_G \to A''_G \to 0$$

lorsqu'on s'est donné $0 \to A' \to A \to A'' \to 0$ exacte. Les applications sont les applications canoniques évidentes.

Soit maintenant G un groupe fini. Pour $A \in \mathrm{Mod}(G)$ on a le morphisme:

$$S = S_G : A \to A$$

donné par la formule $S(a) = \sum_{\sigma \in G} \sigma a$, qui sera nommée *la trace*. Son noyau sera désigné par A_S. Il est clair que IA est contenu dans A_S et qu'on a un foncteur $A \mapsto A_S/IA$ de $\mathrm{Mod}(G)$ dans $\mathrm{Mod}(\mathbf{Z})$.

THEOREME 12 - *Soit* G *un groupe fini. Il existe un foncteur cohomologique* $\mathbf{H}$ *sur* $\mathrm{Mod}(G)$ *à valeurs dans* $\mathrm{Mod}(\mathbf{Z})$ *tel que*:

1.) $\mathbf{H}^0$ *soit isomorphe au foncteur* $A \mapsto A^G/S_G A$.

2.) $\mathbf{H}^i(A) = 0$ *si* A *est injectif et* $i > 0$, *et* $\mathbf{H}^i(A) = 0$ *si* A *est projectif et* i *quelconque*.

3.) $\mathbf{H}$ *est effacé par les modules* G-*réguliers*, *et donc par* M_G.

Démonstration: Nous appliquons les bi-foncteurs $\times_G$ et Hom_G avec le complexe X fixé, et A variable. On obtient le diagramme:

$$\begin{array}{ccc} \to X_1 \otimes_G A \to & X_o \otimes_G A & \\ & \downarrow & \\ & \mathbb{Z} \otimes_G A & \\ & \downarrow & \\ & 0 & \end{array} \qquad \begin{array}{ccc} \mathrm{Hom}_G(X_o, A) & \to & \mathrm{Hom}_G(X_1, A) \\ \uparrow & & \\ \mathrm{Hom}_G(\mathbb{Z}, A) & & \\ \uparrow & & \\ 0 & & \end{array}$$

En outre, $A_G \approx \mathbb{Z} \otimes_G A$, et $\mathrm{Hom}_G(\mathbb{Z}, A) \approx A^G$. La partie gauche donne le foncteur homologique du théorème 10 et la partie droite celui du théorème 11. La trace applique $A_G \to A^G$, et donne évidemment lieu à un morphisme du foncteur $A \mapsto A_G$ dans le foncteur $A \mapsto A^G$. On peut récrire le diagramme comme suit:

$$(4) \quad \begin{array}{ccccccc} \to X_1 \otimes_G A & \to & X_o \otimes_G A & \xrightarrow{\delta} & \mathrm{Hom}_G(X_o, A) & \to & \mathrm{Hom}_G(X_1, A) \\ & & \downarrow & & \uparrow & & \\ & & A_G & \xrightarrow{S_G} & A^G & & \\ & & \downarrow & & \uparrow & & \\ & & 0 & & 0 & & \end{array}$$

avec un homomorphisme δ et un seul qui rende le carré commutatif.

La ligne du haut est alors un complexe. Chaque $X_i \otimes_G A$ peut être considéré comme un foncteur en A, de même $\mathrm{Hom}_G(X_i, A)$, et ces foncteurs sont exacts du fait que X_i est projectif. En outre, δ est un morphisme du foncteur $X_o \otimes_G$ au foncteur $\mathrm{Hom}_G(X_o, \cdot\,)$.

Nous posons $Y_i(A) = \begin{cases} \mathrm{Hom}_G(X_i, A) & \text{pour } i \geq 0 \\ X_{-i-1} \otimes_G A & \text{pour } i < 0 \end{cases}$

Nous obtenons alors un complexe $Y(A)$ qui est exact en A, c'est-à-dire que si:

$$0 \to A' \to A \to A'' \to 0$$

est exacte, alors:

$$0 \to Y(A') \to Y(A) \to Y(A'') \to 0$$

l'est aussi. On peut donc appliquer le théorème 8.

Nous poserons $H^i(A)$ comme étant l'homologie du complexe $Y(A)$. En dimension autre que -1 ou 0, on retrouve les foncteurs des théorèmes 9 et 10. Nous avons déjà démontré la première partie du théorème 11.

Quant aux assertions concernant les effacements, on voit déjà que H^i s'annule sur les injectifs pour $i>0$ puisque dans ces dimensions, il coincide avec le foncteur dérivé. Pour ce qui est des projectifs, ou des G-réguliers; il suffira de démontrer l'assertion pour ces derniers, compte tenu de la proposition 7, Corollaire. Faisons la démonstration par exemple pour $r>0$. Il existe une homotopie décontractante dans X, à savoir des $\mathbb{Z}$-morphismes

$$D_r : X_r \to X_{r+1}$$

tels que:

$$id_r = id_{X_r} = \partial_{r+1}D_r + D_{r-1}\partial_r .$$

Si $f : X_r \to A$ est un cocycle, on a par définition $f\partial_{r+1} = 0$, et donc $f = f \circ id_r = fD_{r-1}\partial_r$. D'autre part, l'hypothèse donne l'existence d'un $\mathbb{Z}$-morphisme $v : A \to A$ tel que $id_A = S_G(v)$.

On trouve:

$$f = id_A \circ f = S_G(v)f = S_G(vf) = S_G(vfD_{r-1}\partial_r)$$

$$= S_G(vfD_{r-1})\,\partial_r$$

ce qui montre que f est un cobord, i.e. le groupe de cohomologie est trivial.

Pour $r = 0$, l'assertion est triviale. Pour $r = -1$, on la laisse au lecteur. Pour $r<-1$, on répète l'argument donné plus haut pour $r\geqq 1$ avec le produit tensoriel en dualisant.

On pourrait aussi se servir de la <u>résolution complète</u> et du même argument, de la façon suivante:

Soit $X = (X_r)_{r\geqq 0}$ une résolution G-libre de $\mathbf{Z}$ de type fini, et acyclique, avec une augmentation ε. Posons:

$$X_{-r-1} = \mathrm{Hom}(X_r,\mathbf{Z}) \qquad r\geqq 0\ .$$

Cela nous définit des G-modules pour les dimensions négatives. On voit immédiatement qu'ils sont aussi G-libres, et que si (e_i) est une base de X_r sur $\mathbf{Z}(G)$ pour $r\geqq 0$, alors on peut définir une base duale (e_i^*). Par dualité, en dimension négative, on obtient donc un complexe. On va voir comment on les rattache ensemble autour de 0. Pour la simplicité d'exposition, on peut supposer que X_o est de dimension 1 sur $\mathbf{Z}(G)$ soit:

$$X_o = \mathbf{Z}(G).\xi, \qquad \varepsilon(\xi) = 1.$$

Soit ξ^* la base de X_{-1}. Nous avons $X_{-1} = \mathrm{Hom}(X_o,\mathbf{Z})$.

$$\leftarrow X_{-2} \xleftarrow{\partial_1^* = \partial_{-1}} X_{-1} \xleftarrow{\partial_0} X_0 \xleftarrow{\partial_1} X_1 \longleftarrow$$

$$0 \leftarrow Z \nearrow X_0$$

Nous définissons ∂_o par $\partial_o \xi = S_G(\xi^*) = \sum_{\sigma \in G} \sigma \xi^*$. Les bords ∂_{-r-1} pour $r \geq 0$ sont définis par dualité. On vérifie alors sans difficultés que le complexe que nous avons obtenu est acyclique (par exemple en prenant une homotopie en dimension positive et en la dualisant). Nous pouvons alors prendre $\mathrm{Hom}_G(X,A)$ pour A variable dans Mod(G), et on obtient alors un foncteur exact:

$$A \mapsto \mathrm{Hom}_G(X,A)$$

de A dans la catégorie des complexes de groupes abéliens. En dimension 0, le groupe de cohomologie est visiblement isomorphe à $A^G/S_G A$, et le théorème d'unicité s'applique.

Signalons le complexe standard.

Soit G un groupe que nous supposons arbitraire pour commencer. Le complexe standard X est défini en posant X_r = module G-libre ayant pour base sur $\mathbf{Z}(G)$ les r-uples $(\sigma_1,\ldots,\sigma_r)$ d'éléments de G pour $r \geq 1$. Pour $r = 0$, X_o est libre de dimension 1, et on note sa base, constituée par un élément, par $(.)$. La formule de cobord est donnée par la formule habituelle.

Si G est fini, on voit que chaque X_r est de type fini. On peut alors procéder comme on l'a vu pour définir les X_s en dimension négative. La base duale de $(\sigma_1,\ldots,\sigma_r)$ sera notée $[\sigma_1,\ldots,\sigma_r]$ et celle de $(.)$ sera notée $(.)$.

Pour les groupes finis, nous avons donc la possibilité de définir la cohomologie au moyen du théorème suivant.

THEOREME 13 - Soit G un groupe fini. Alors il existe un complexe $X = (X_r)$ avec $r \in \mathbf{Z}$, qui est G-libre, acyclique, tel que $A \mapsto \mathrm{Hom}_G(X, A)$ soit un foncteur exact de $\mathrm{Mod}(G)$ dans la catégorie des complexes de groupes abéliens, et tel que le foncteur cohomologique associé soit isomorphe à $A^G / S_G A$ en dimension 0.

Un complexe X comme dans le théorème sera dit une résolution complète de $\mathbf{Z}$.

Remarquons aussi qu'on peut définir le complexe de chaînes homogènes, en prenant $(\sigma_0, \ldots \sigma_r)$. La formule de cobords est alors un peu plus symétrique. Mais l'autre a l'avantage que dans la pratique, les cocycles ne sont pas homogènes, par exemple en dimension 1 ce sont des fonctions: $f : G \to A$ satisfaisant à

$$f(\sigma) + \sigma f(\tau) = f(\sigma\tau)$$

et en dimension 2, ce sont des systèmes de facteurs. Il est donc utile d'avoir à notre disposition toutes ces définitions explicites de la cohomologie, dans les questions d'application ou d'existence.

Enfin, remarquons qu'il est aussi utile pour les calculs d'avoir défini les groupes de cohomologie en dimension négative au moyen du produit tensoriel, vu que là, de nouveau, on peut calculer sur les cochaines et cocycles au moyen de la formule du cobord dans le complexe standard. Les calculs dans le complexe dual en dimension négative deviennent plus compliqués.

PROPOSITION 10 - <u>Soit</u> $B \in Mod(\mathbf{Z})$. <u>Alors pour tout sous-groupe</u> G' <u>de</u> G, <u>on a</u> $H^r(G', M_G(B)) = 0$ <u>pour</u> $r>0$.

<u>Démonstration</u>: D'après la proposition précédente, il suffit de démontrer la proposition pour $G' = G$. Nous donnerons une démonstration basée sur le théorème d'unicité au chapitre suivant. Ici, donnons une démonstration directe, par une homotopie dans le complexe standard. On définit:

$$s: \quad C^r(G, M_G(B)) \to C^{r-1}(G, M_G(B))$$

en posant:

$$(sf)_{\sigma_2, \ldots, \sigma_r}(\sigma) = f_{\sigma, \sigma_2, \ldots, \sigma_r}(1).$$

On vérifie immédiatement que:

$$f = sdf + dsf$$

et donc que s est une homotopie décontractante dans le complexe $C^*(G, M_G(B))$.

4. Formules Explicites

Nous allons résumer quelques formules qui seront employées constamment dans la suite.

Nous avons les suites exactes:

$$0 \to I_G \to \mathbf{Z}(G) \to \mathbf{Z} \to 0$$

$$0 \to \mathbf{Z} \to \mathbf{Q} \to \mathbf{Q}/\mathbf{Z} \to 0$$

la première étant valable pour G fini, et la seconde pour

G quelconque. Supposons G fini, écrivons $I = I_G$ pour simplifier, et notons $H = \mathbf{H}_G$ le foncteur cohomologique spécial. Alors on trouve:

$$H^{-3}(\mathbf{Q}/\mathbf{Z}) \approx H^{-2}(\mathbf{Z}) \approx H^{-1}(I) = I/I^2$$

$$H^{-2}(Q/\mathbf{Z}) \approx H^{-1}(\mathbf{Z}) \approx H^{o}(I) = 0$$

$$H^{-1}(Q/\mathbf{Z}) \approx H^{o}(\mathbf{Z}) \approx H^{1}(I) = \mathbf{Z}/n\mathbf{Z}$$

$$H^{o}(Q/\mathbf{Z}) \approx H^{1}(\mathbf{Z}) \approx H^{2}(I) = 0$$

$$H^{1}(Q/\mathbf{Z}) \approx H^{2}(\mathbf{Z}) \approx H^{3}(I) = \hat{G}$$

En effet, chaque terme du milieu dans les suites exactes annulent le foncteur cohomologique, du fait que l'identité est une trace (ou bien pour Q qu'il est uniquement divisible). Les isomorphismes sont alors induits par les cobords de la suite exacte de cohomologie. La valeur prise tout à fait à droite s'explique alors comme suit:

Pour la première ligne, tout élément de I est de trace 0, et donc $H^{-1}(I) = I/I^2$, par ce qu'on sait sur H^{-1}.

Pour la deuxième ligne, $H^{-1}(\mathbf{Z}) = 0$ puisque un élément de $\mathbf{Z}$ dont la trace est 0 ne peut être que 0.

Pour la troisième ligne, on a évidemment $H^{o}(Z) = Z/nZ$, avec n = ordre de G.

Pour la quatrième ligne, $H^{1}(\mathbf{Z}) = 0$ puisque par le complexe standard ce groupe est constitué des homomorphismes de G dans $\mathbf{Z}$, et que G est fini.

Pour la cinquième ligne, on trouve $\hat{G}$ car $H^{1}(\mathbf{Q}/\mathbf{Z})$

est le groupe des homomorphismes de G dans $\mathbf{Q}/\mathbf{Z}$, i.e. le groupe des caractères.

Enfin, remarquons que tout G-module peut être considéré comme U-module pour un sous-groupe U de G, que $\mathbf{H}^r(U,\mathbf{Z}\{G\}) = \mathbf{H}^r(U,\mathbf{Q}) = 0$ pour tout r, et donc que les isomorphismes ci-dessus restent valables si on remplace $\mathbf{H}_G$ par $\mathbf{H}_U$. Il faut alors prendre $n = (U : 1)$ et remplacer $\hat{G}$ par $\hat{U}$.

Pour ce qui est de I/I^2, on a encore la détermination suivante.

PROPOSITION 11 - Soit G un groupe (fini ou non). Soit G^c son groupe des commutateurs. Soit $I = I_G$ l'idéal de $\mathbf{Z}(G)$ engendré par les éléments de type $\sigma-1$. Alors il y a un isomorphisme de foncteurs (covariant sur la catégorie des groupes)

$$G/G^c \approx I_G/I_G^2$$

donné par la correspondance:

$$\sigma G^c \longleftrightarrow (\sigma-1) + I_G^2$$

Démonstration: Nous définissons une application $G \to I/I^2$ par $\sigma \to (\sigma-1) + I^2$. On vérifie alors immédiatement que c'est un homomorphisme. Comme I/I^2 est commutatif, G^c est contenu dans le noyau, d'où un homomorphisme $G/G^c \to I/I^2$. Réciproquement, I est $\mathbf{Z}$-libre, les éléments $(\sigma-1)$ avec $\sigma \in G, \sigma \neq 1$ forment une base sur $\mathbf{Z}$. Il existe donc un homomorphisme $I \to G/G^c$ défini par la formule $(\sigma-1) \mapsto \sigma G^c, \sigma \neq 1$. De plus, cet homomorphisme s'annule sur

I^2 comme on le voit immédiatement. On obtient donc un homomorphisme de I/I^2 dans G/G^c, qui est visiblement inverse de celui qu'on a défini ci-dessus. Ce sont donc des isomorphismes. Le fait qu'on a un isomorphisme de foncteurs est évident.

En particulier, on trouve $H^{-2}(A) \approx G/G^c$ par le cobord et l'isomorphisme de la proposition. Cet isomorphisme est particulièrement important dans la théorie du corps de classes.

Nous terminons nos calculs par le résultat suivant:

PROPOSITION 12 - _Soit_ G _un groupe quelconque_, $A \in Mod(G)$ _et_ $\alpha \in H^1(G,A)$. _Soit_ $a(\sigma)$ _un cocycle standard de_ G _dans_ A _représentant_ α. _Il existe un_ G-_morphisme_:

$$f : I_G \to A$$

tel que $f(\sigma-1) = a(\sigma)$, i.e. _on a_ $f \in (Hom(I,A))^G$. _La suite_

$$0 \to A = Hom(\mathbf{Z},A) \to Hom(\mathbf{Z}(G),A) \to Hom(I_G,A) \to 0$$

est exacte, _et le cobord étant pris relativement à cette suite_, _on a_:

$$\delta(\kappa_G f) = -\alpha$$

Démonstration: D'après un métathéorème de Weil, on sait que $\delta(\kappa_G f) = \alpha$ ou $-\alpha$. Nous allons montrer qu'en fait c'est la seconde alternative qui a lieu. Les éléments de type $(\sigma-1)$ formant une base sur $\mathbf{Z}$ de I_G, on peut définir un $\mathbf{Z}$-morphisme f satisfaisant à la condition

$f(\sigma-1) = a(\sigma)$, pour $\sigma\neq 1$. C'est même valable pour $\sigma = 1$, car en faisant $\sigma = \tau = 1$ dans la formule du cobord $a(\sigma\tau) = a(\sigma) + \sigma a(\tau)$ on trouve $a(1) = 0$. Je dis que f est un G-morphisme. En effet, pour $\sigma,\tau \in G$ on trouve:

$$\begin{aligned} f(\sigma(\tau-1)) = f(\sigma\tau-\sigma) &= f((\sigma\tau-1) - (\sigma-1)) \\ &= f(\sigma\tau-1) - f(\sigma-1) \\ &= a(\sigma\tau) - a(\sigma) \\ &= \sigma a(\tau) \\ &= \sigma f(\tau-1). \end{aligned}$$

Pour calculer le cobord de $\kappa_G(f)$, il nous faut d'abord trouver une cochaîne standard en dimension 0, de $Hom(\mathbf{Z}(G),A)$ qui s'applique sur f, c'est-à-dire un élément $f' \in Hom(\mathbf{Z}(G),A)$ dont la restriction à I_G soit f. Comme $\mathbf{Z}(G) = I_G + \mathbf{Z}.1$ est une somme directe, on peut définir f' en prescrivant que $f'(1) = 0$, et que f' soit égal à f sur I_G. On voit alors que $\phi_\sigma = \sigma f' - f'$ est un cocycle de dimension 1, dans $Hom(\mathbf{Z},A)$ qui représente, par définition $\kappa_G(f)$. Je dis que sous l'identification de $Hom(\mathbf{Z},A)$ avec A, ϕ_σ correspond à $-a(\sigma)$, autrement dit, il faut voir que $\phi_\sigma(1) = -a(\sigma)$. C'est bien le cas, car:

$$\begin{aligned} \phi_\sigma(1) &= (\sigma f')(1) - f'(1) \\ &= \sigma f'(\sigma^{-1}) \\ &= \sigma f(\sigma^{-1}-1) \end{aligned}$$

$$= f(1-\sigma)$$

$$= -a(\sigma)$$

ce qui démontre notre assertion.

5. Groupes Cycliques

Soit G un groupe fini, cyclique d'ordre N, et soit σ un générateur de G.

Nous avons un δ-foncteur pour deux dimensions, à savoir $H^{-1}(G,A)$ et $H^{0}(G,A)$. Nous allons définir un δ-foncteur cohomologique. Nous posons, pour $r \in \mathbf{Z}$,

$$H^r(G,A) \begin{cases} = H^{-1}(G,A) & \text{si } r \text{ est impair} \\ = H^{0}(G,A) & \text{si } r \text{ est pair.} \end{cases}$$

Il nous faut maintenant définir le cobord. Soit:

$$0 \to A' \xrightarrow{u} A \xrightarrow{v} A'' \to 0$$

exacte dans $\mathrm{Mod}(G)$. Pour chaque $r \in \mathbf{Z}$ on a κ_r et κ_r définis de façon évidente, et on pose, pour $a'' \in A''^G$

$$\delta_\sigma \kappa_r(a'') = \text{Ж}_r(\sigma a - a)$$

quel que soit l'élément $a \in A$ tel que a s'applique sur a'', i.e. $va = a''$. En dimension impaire, on pose pour $a'' \in A_{S_G}$,

$$\delta_\sigma \text{Ж}_r(a'') = \kappa_r(S_G a)$$

quel que soit l'élément $a\in A$ tel que $va = a''$. On vérifie immédiatement que ces applications sont bien définies, et que $H^r (r\in \mathbb{Z})$ avec le cobord δ_σ est un foncteur cohomologique. Comme il s'annule sur les modules G-réguliers, et est ce qu'il faut en dimension 0, on voit qu'on a bien explicité le foncteur cohomologique habituel. On notera que le cobord dépend du générateur σ choisi au début.

Nous voyons donc qu'on a pour tout $r\in\mathbb{Z}$, et $A\in \mathrm{Mod}(G)$

$$\hat{H}^{r+2}(G,A) = \hat{H}^r(G,A).$$

On peut bien entendu combiner la détermination des H^r pour le foncteur ordinaire. Si on pose pour $r \geq 1$,

$$H^0(A) = A^G, \quad \text{et} \quad H^r(A) = \hat{H}^{-1}(G,A) \quad \text{si } r \text{ est impair}$$

$$= \hat{H}^0(G,A) \quad \text{si } r \text{ est pair}$$

et si on définit le cobord de la même façon qu'avant, on voit qu'on a un foncteur cohomologique qui n'est autre que celui que nous avons déjà trouvé. En particulier, la suite exacte s'écrit:

$$0 \to A'^G \to A^G \to A''^G \to \hat{H}^{-1}(G,A) \to$$

et continue comme pour le foncteur spécial.

Dans le cas du foncteur spécial, on peut faire que la suite exacte revienne sur elle-même.

THEOREME 14 - Soit G cyclique, σ un générateur, et soit

$$0 \longrightarrow A' \longrightarrow A \longrightarrow A'' \longrightarrow 0$$

une suite exacte dans Mod(G). *Alors l'hexagone*:

$$\begin{array}{ccccccc} & & H^{-1}(A) & \longrightarrow & H^{-1}(A'') & & \\ & \nearrow & & & & \searrow \delta\sigma & \\ H^3(A')=H^1(A') & & & & & & H^2(A') \\ & \searrow \delta\sigma & & & & \swarrow & \\ & & H^2(A'') & \longleftarrow & H^2(A) & & \end{array}$$

est exact.

Démonstration: C'est évident à partir des définitions. Supposons donné un hexagone exact de groupes abéliens fini

$$\begin{array}{ccccccc} & & H_1 & \rightarrow & H_2 & & \\ & \nearrow & & & & \searrow & \\ H_6 & & & & & & H_3 \\ & \nwarrow & & & & \swarrow & \\ & & H_5 & \leftarrow & H_4 & & \end{array}$$

et désignons par h_i l'ordre de H_i, i.e. $h_i = (H_i : 0)$. Soit $f_i : H_i \rightarrow H_{i+1}$ l'homomorphisme correspondant dans le diagramme avec i un entier mod. 6. Alors:

$$h_i = (H_i : \phi_{i-1} H_{i-1})(\phi_{i-1} H_{i-1} : 0)$$

$$= m_i \, m_{i-1}$$

Donc:

$$1 = \frac{m_6 m_1 m_2 m_3 m_4 m_5}{m_1 m_2 m_3 m_4 m_5 m_6} = \frac{h_1 h_3 h_5}{h_2 h_4 h_6}$$

En particulier, si dans la suite de cohomologie du théorème on suppose que chaque H^i soit d'ordre fini, on trouve

$$1 = \frac{h_1(A')h_1(A")h_2(A)}{h_1(A)\ h_2(A')h_2(A")}$$

ù l'on a posé $h_i(A) =$ ordre de $H^i(G,A)$.

Soit maintenant $A \in \mathrm{Mod}(G)$ quelconque. Si $h_2(A)$ t $h_1(A)$ sont finis, nous définissons:

$$h_{2/1}(A) = \frac{h_2(A)}{h_1(A)} = \frac{(A_{\sigma-1} : S_G(A))}{(A_{S_G} : (\sigma-1)A)}$$

t nous appelons cet entier le <u>quotient de Herbrand</u> de A. i $h_1(A)$ ou $h_2(A)$ n'est pas fini, nous disons que le uotient de Herbrand n'est pas défini.

Dans certaines applications, on sait que pour un odule A fini, l'un des ordres $h_1(A)$ ou $h_2(A)$ est gal à 0. Il s'ensuit que l'autre l'est aussi. De même, n trouve $h_1(A) = h_2(A)$ en général. Exemple: Si A st le groupe des points rationnels d'une variété de groupe ommutatif dans un corps fini.

Les propriétés de $h_{2/1}(A)$ sont contenues dans les ésultats suivants:

HEOREME 15 - (<u>Lemme de Herbrand</u>) - <u>Soit</u> G <u>un groupe</u> <u>ini</u>, <u>cyclique</u>, <u>et soit</u>:

$$0 \to A' \to A \to A" \to 0$$

<u>xacte dans</u> Mod(G). <u>Alors si deux parmi les trois quo-</u> <u>ients de Herbrand</u> $h_{2/1}(A')$, $h_{2/1}(A)$, et $h_{2/1}(A")$ <u>sont</u> <u>éfinis</u>, <u>le troisième l'est aussi</u>, <u>et on a</u>:

$$h_{2/1}(A) = h_{2/1}(A')\, h_{2/1}(A'').$$

Démonstration: C'est évident à partir de la discussion précédente.

THEOREME 16 - Soit G un groupe fini et cyclique, et soit A un G-module fini. Alors $h_{2/1}(A)$ est défini, et $h_{2/1}(A) = 0$.

Démonstration: Nous avons le lattice de sous-groupes de A suivant:

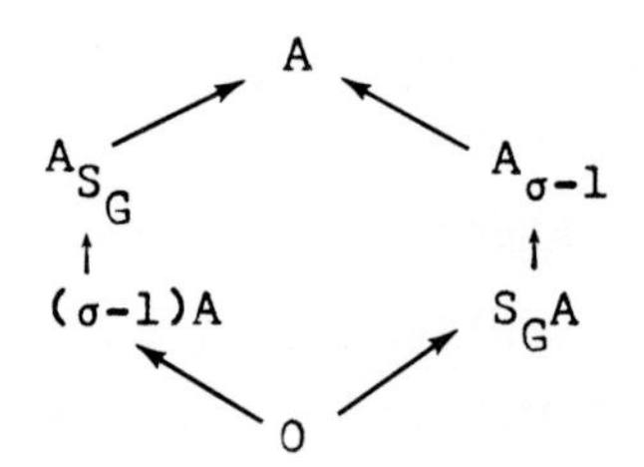

Les groupes facteurs A/A_{S_G} et S_GA sont isomorphes, et également $A/A_{\sigma-1}$ et $(\sigma-1)A$. Si l'on calcule l'ordre de A de deux manières, on trouve:

$$(A : 0) = (A : A_{\sigma-1})\,(A_{\sigma-1} : S_GA)\,(S_GA : 0)$$

$$(A : 0) = (A : A_{S_G})\,(A_{S_G} : (\sigma-1)A)((\sigma-1)A : 0)$$

Il s'ensuit que les termes du milieu ont le même nombre d'éléments, et le fait que $h_{2/1}(A) = 1$ découle des définitions.

Enfin, on a le quotient de Herbrand pour l'action triviale.

THEOREME 17 - *Soit* G *un groupe cyclique d'ordre premier* p . *Soit* A Mod(G). *Désignons par* $\phi(A)$ *le quotient de Herbrand quand on suppose que* G *opère trivialement sur* A, *de sorte que*:

$$\phi(A) = \frac{(A_p : 1)}{(A/pA : 1)}$$

et supposons qu'il soit défini. *Alors* $\phi(A^G)$, $\phi(A_G)$, *et* $h_{2/1}(A)$ *sont définis*, *et l'on a*:

$$h_{2/1}(A)^{p-1} = \phi(A^G)^p/\phi(A) = \phi(A_G)^p/\phi(A).$$

Démonstration: Exercice au lecteur, pas complètement trivial.

CHAPITRE II

RELATIONS AVEC LES SOUS-GROUPES

1. Morphismes Variés

(a) Changement de groupe: Soit $\lambda : G' \rightarrow G$ un homomorphisme d'un groupe dans un autre. Alors λ donne lieu à un foncteur exact:

$$T_\lambda : Mod(G) \rightarrow Mod(G')$$

car tout G-module peut être considéré comme G'-module en définissant l'opération de G' par $\sigma' a = \lambda(\sigma')a$ pour $\sigma' \in G'$. On peut donc prendre le foncteur cohomologique $H_{G'} \circ T_\lambda$ (ou $\mathbf{H}_{G'} \circ T_\lambda$ si G' est fini) sur $Mod(G)$.

Soit G' un sous-groupe de G.

En dimension 0, on a un morphisme de foncteurs

$$\mathbf{H}^0_G \rightarrow \mathbf{H}^0_{G'} \circ T_\lambda$$

donné par l'inclusion $A^G \to A^{G'} = (T_\lambda(A))^{G'}$. Si en outre G et G' sont finis, on a un morphisme de foncteurs

$$\mathbf{H}^o_G \to \mathbf{H}^o_{G'} \circ T$$

donné par l'homomorphisme $A^G/S_G A \to A^{G'}/S_{G'}A$, le groupe G' opérant sur A toujours selon la prescription ci-dessus.

En vertu du théorème d'unicité, il existe un et un seul morphisme de foncteur cohomologique (δ-morphisme)

$$\lambda^*: H_G \to H_{G'} \circ T_\lambda \qquad \text{ou} \quad \mathbf{H}_G \to \mathbf{H}_{G'} \circ T_\lambda$$

la seconde éventualité ayant lieu si G et G' sont finis, G' sous-groupe de G.

Nous expliciterons ces morphismes dans divers cas particuliers dans ce qui suit:

Dans le cas où λ est surjectif, nous appellerons λ^* le morphisme de <u>lifting</u>, et il sera noté $\mathrm{lif}^G_{G'}$, et le cas où λ est une injection sera la <u>restriction</u> étudiée plus bas.

Soit $A \in \mathrm{Mod}(G)$, et $B \in \mathrm{Mod}(G')$. On peut considérer A comme un G'-module comme ci-dessus. Soit $v : A \to B$ un G'-morphisme. Alors on dira que la paire (λ, v) est un morphisme de (G,A) dans (G',B) (on pourrait définir formellement une catégorie dont les objets sont des paires (G,A) pour lesquelles les morphismes seraient précisément les paires (λ,v)). Tout morphisme (λ,v) induit un homomorphisme:

$$(\lambda,v)_* : H^r(G,A) \to H^r(G',B)$$

(et de même en remplaçant H par $\mathbf{H}$ si G et G' sont finis) par la composition:

$$H^r(G,A) \xrightarrow{\lambda^*} H^r(G',A) \xrightarrow{H_{G'}(v)} H^r(G',B)$$

Bien entendu, on devrait écrire plus correctement $H^r(G',T_\lambda(A))$, mais nous ferons le plus souvent dans la suite l'abus de langage, qui consiste à omettre le T_λ, la référence à λ étant claire.

PROPOSITION 1 - <u>Soit</u> (λ,v) <u>un morphisme de</u> (G,A) <u>dans</u> (G',B) <u>et</u> (ϕ,w) <u>un morphisme de</u> (G',B) <u>dans</u> (G'',C). <u>Alors</u> $(\lambda\phi,wv)$ <u>est un morphisme de</u> (G,A) <u>dans</u> (G'',C) <u>et on a</u>:

$$(\phi\lambda,wv)_* = (\phi,w)_* \ (\lambda,v)_*.$$

<u>Démonstration</u>: En vertu du fait que ϕ^* est un morphisme de foncteurs, le diagramme:

$$\begin{array}{ccc} H^r(G',T_\lambda(A)) & \xrightarrow{H_{G'}(v)} & H^r(G',B) \\ \phi^* \downarrow & & \downarrow \phi^* \\ H^r(G'',T_\phi T_\lambda(A)) & \xrightarrow[H_{G''}(v)]{} & H^r(G'',T_\phi(B)) \end{array}$$

est commutatif. En conséquence, on trouve:

$$(\lambda\phi,wv)_* = H_{G''}(wv)o(\lambda\phi)^*$$

$$= H_{G''}(w)oH_{G''}(v)o\phi^*o\lambda^*$$

$$= H_{G''}(w) \circ \phi^* H_{G'}(v) \circ \lambda^*$$

$$= (\phi, w)^* \circ (\lambda, v)^*.$$

(b) Restriction. C'est le cas où λ est une injection, i.e. on peut considérer G' comme sous-groupe de G. On a donc:

$$\mathrm{Res}_{G'}^{G} : H^r(G,A) \to H^r(G',A)$$

et de même dans le cas spécial en remplaçant H par $\mathbf{H}$. On vérifie immédiatement que pour $r>0$ cet homomorphisme est induit explicitement par un homomorphisme de cochaines dans le complexe standard, à savoir celui de restriction d'une cochaine $f(\sigma_1,\ldots,\sigma_r)$ de G^r à une cochaine de $G'\times\ldots\times G'$ car c'est un morphisme de foncteur cohomologique auquel on peut appliquer le théorème d'unicité. En dimension 0, la restriction est induite par l'inclusion.

On a la transivité:

PROPOSITION 2 - *Soient* $S \supset T$ *deux sous-groupes de* G. *Alors*, sur H_G ou $\mathbf{H}_G$ on a:

$$\mathrm{res}_T^S \circ \mathrm{res}_S^G = \mathrm{res}_T^G .$$

Immédiat à partir de la prop. 1.

(c) Inflation. Soit $\lambda : G \to G/G'$ un homomorphisme surjectif. Soit A Mod(G). Alors $A^{G'}$ est un G/G'-module par l'opération évidente induite par celle de G, triviale sur G', et bien entendu c'est aussi un G-module sous cette même opération. On a un morphisme d'inclusion:

$$u : A^{G'} \rightarrow A$$

dans Mod(G), qui induit un homomorphisme

$$H_G(u) = u_r : H^r(G,A^{G'}) \rightarrow H^r(G,A) \qquad r \geqq 0.$$

On définit <u>l'inflation</u>, notée $\underline{\inf}_G^{G/G'}$

$$\inf_G^{G/G'} : H^r(G/G', A^{G'}) \rightarrow H^r(G,A)$$

comme étant le composé du morphisme fonctoriel

$$H^r(G/G', A^{G'}) \rightarrow H^r(G,A^{G'})$$

suivi par l'homomorphisme induit u_r, $r \geqq 0$. On notera que l'inflation n'est pas définie pour le foncteur cohomologique spécial.

En dimension 0, l'inflation donne donc l'application identique

$$(A^{G'})^{G/G'} \rightarrow A^G.$$

En dimension $r>0$, il est induit par l'homomorphisme de cochaine dans le complexe standard qui a chaque cochaine $f(\bar{\sigma}_1,\ldots,\bar{\sigma}_r)$ avec $\bar{\sigma}_i$ G/G' associe la cochaine $f(\sigma_1,\ldots,\sigma_r)$ dont les valeurs sur les cosets de G' sont celles de représentatifs.

On remarquera que si G opère trivialement sur A, alors $H^1(G,A)$ n'est autre que le groupe des homomorphismes de G dans A, comme on le voit par le complexe standard. En particulier, on a:

PROPOSITION 3 - _Soit_ U _un sous-groupe normal de_ G, _et supposons que_ G _opère trivialement sur_ A. _Alors l'inflation_

$$\inf_G^{G/U} : H^1(G/U, A^U) \to H^1(G,A)$$

induit l'inflation d'un homomorphisme $\bar{\chi} : G/U \to A^U$ _à un homomorphisme_ $\chi : G \to A$.

On peut considérer l'application

$$F_{G'} : A \mapsto A^{G'}$$

comme un foncteur, pas exact, de $Mod(G)$ dans $Mod(G/G')$.

L'inflation est alors un morphisme de foncteur (pas cohomologique)

$$H_{G/G'} \circ F_{G'} \to H_G$$

pris sur la catégorie $Mod(G)$. Bien que ce ne soit pas un foncteur cohomologique, on pourra encore employer le théorème d'unicité pour démontrer certaines formules de commutativité, en décomposant l'inflation en deux parties.

Comme autre cas particulier de la prop. 1, on trouve:

PROPOSITION 4 - _Soient_ G', N _deux sous-groupes de_ G _avec_ N _normal dans_ G, _et_ $N \subset G'$. _Alors sur_ $H^r(G/N, A^N)$ _on a_:

$$\inf_{G'}^{G'/N} \circ \operatorname{res}_{G'/N}^{G/N} = \operatorname{res}_{G'}^{G} \circ \inf_G^{G/N}$$

Comme pour la restriction, on a la transivité, aussi comme cas particulier de la prop. 1.

PROPOSITION 5 - <u>Soient</u> $G \to G_1 \to G_2$ <u>deux homomorphismes surjectifs</u>. <u>Alors</u>:

$$\inf_G^{G_1} \circ \inf_{G_1}^{G_2} = \inf_G^{G_2} .$$

(d) <u>Conjugaison</u>. Soit S un sous-groupe de G. Pour σ G, on a le sous-groupe: $S^\sigma = \sigma^{-1}S\sigma$ conjugué de S, et $S^{(\sigma\tau)} = (S^\sigma)^\tau$. Sur Mod(G), on a deux foncteurs cohomologiques, H_S et H_{S^σ} et en dimension 0, un isomorphisme de foncteurs,

$$A^S \to A^{S^\sigma}$$

donné par l'application $a \mapsto \sigma^{-1}a$. On peut donc étendre ce morphisme de façon unique à un isomorphisme de H_S sur H_{S^σ}, qu'on désignera par σ_* et qui sera appelé la <u>conjugaison</u>.

De même si S est fini, on a la conjugaison sur $\hat{H}_S$.

PROPOSITION 6 - <u>Si</u> $\sigma \in S$, <u>alors</u> σ_* <u>est l'identité sur</u> H_S (<u>ou</u> $\hat{H}_S$ <u>si</u> S <u>est fini</u>).

<u>Démonstration</u>: C'est vrai en dimension 0, donc en toutes dimensions.

On remarquera que si $\phi : A \to B$ est un S-morphisme, avec $A, B \in$ Mod(G), alors:

$$\phi^\sigma = (\sigma^{-1}\phi) : A \to B$$

est un S^σ morphisme. Le fait que σ_* est un morphisme de foncteurs montre que:

$$H_{S^\sigma}(\phi^\sigma) \circ \sigma_* = \sigma_* \circ H_S(\phi) ,$$

ces morphismes étant appliqués à $H(S,A)$ ou $\mathbf{H}(S,A)$ si S est fini.

Si S est un sous-groupe normal de G, alors σ_* donne un automorphisme de H_S (ou $\mathbf{H}_S$ si S est fini), i.e. G opère sur H_S (ou $\mathbf{H}_S$). Comme on vient de voir que pour $\sigma \in S$, σ_* est trivial, on conclut qu'en fait, G/S opère sur H_S (resp. $\mathbf{H}_S$).

PROPOSITION 7 - *Soient* $S \subset T$ *deux sous-groupes de* G, *et* $\sigma \in G$. *Alors on a*:

$$\sigma_* \circ \mathrm{res}_S^T = \mathrm{res}_{S^\sigma}^{T^\sigma} \circ \sigma_*$$

sur H_T (resp. $\mathbf{H}_T$ *si* T *est fini*).

PROPOSITION 8 - *Soient* $V \subset U$ *deux sous-groupes de* G *d'indice fini*, *et* $\sigma \in G$. *Soit* V *normal dans* U. *Alors on a*:

$$\inf_{U^\sigma}^{U^\sigma/V^\sigma} \circ \sigma_* = \sigma_* \circ \inf_U^{U/V}$$

sur $H(U/V, A^V)$.

Ces deux propositions sont des cas particuliers de la prop. 1.

(e) *Transfert*. Soit U un sous-groupe d'indice fini dans G. La trace donne un morphisme de foncteur $H_U^0 \to H_G^0$ par la formule:

$$S_G^U : A^{U'} \to A^G$$

t dans le cas spécial, de même pour $H_U^o \to H_G$,

$$S_G^U : A^U/S_U A \to A^G/S_G A.$$

'unique extension aux foncteurs cohomologiques respectifs era notée tr_G^U , et appelée le <u>transfert.</u> En vérifiant es relations de commutativités suivantes en dimension 0, t en appliquant le théorème d'unicité (dans le cas de ' inflation, en décomposant celle-ci dans ses deux par-ies), on obtient immédiatement ces relations, à savoir:

ROPOSITION 9 - <u>Soient</u> $V\subset U\subset G$ <u>deux sous-groupes d'indices</u> <u>inis dans</u> G. <u>Alors sur</u> H_V <u>ou</u> H_V <u>on a</u>:

$$tr_G^U \circ tr_U^V = tr_G^V .$$

ROPOSITION 10 - <u>Soient</u> $V\subset U$ <u>deux sous-groupes d'indice</u> <u>ini dans</u> G <u>et</u> $\sigma\in G$. <u>Alors on a sur</u> H_V <u>ou</u> H_V :

$$\sigma_* \circ tr_U^V = tr_{U^\sigma}^{V^\sigma} \circ \sigma_* .$$

ROPOSITION 11 - <u>Soient</u> $V\subset U$ <u>deux sous-groupes de</u> G <u>'indice fini</u>, <u>avec</u> V <u>normal dans</u> G, <u>Alors on a</u>, <u>en</u> <u>imension</u> $\geqq 0$,

$$\mathrm{inf}_G^{G/V} \circ tr_{G/V}^{U/V} = tr_G^U \circ \mathrm{inf}_U^{U/V}$$

<u>ır</u> $H^r(U/V, A^V)$.

D'importance toute particulière est le résultat

suivant:

PROPOSITION 12 - Soit U un sous-groupe de G d'indice fini. Alors sur H_G ou $\mathbf{H}_G$ on a:

$$tr_G^U \circ res_U^G = (G : U)$$

où $(G : U)$ désigne la multiplication par l'entier égal à l'indice de U dans G.

Démonstration: De nouveau, c'est évident en dimension 0, vu que la restriction n'est que l'inclusion, et donc que la trace ne fait que multiplier un élément par $(G : U)$.

COROLLAIRE 1 - Soit G un groupe fini d'ordre n; alors pour tout $r \in \mathbf{Z}$, $n\mathbf{H}^r(G,A) = 0$ pour tout $A \in Mod(G)$.

Démonstration: On prend $U = 1$ dans la proposition, et on se sert du fait que $\mathbf{H}^r(1,A) = 0$.

COROLLAIRE 2 - Soit G un groupe fini, et A un module de type fini sur $\mathbf{Z}$, dans $Mod(G)$. Alors $\mathbf{H}^r(G,A)$ est un groupe fini pour tout $r \in \mathbf{Z}$.

Démonstration: C'est un groupe de type fini, vu que dans le complexe standard, les cochaines sont déterminées par leurs valeurs sur les générateurs du complexe, en chaque dimension. Comme c'est un groupe de torsion en plus, il est fini.

COROLLAIRE 3 - Soit G un groupe fini, et $A \in Mod(G)$. Si A est uniquement divisible par m pour tout $m \in \mathbf{Z}$, $m \neq 0$, alors $\mathbf{H}^r(G,A) = 0$ pour $r \in \mathbf{Z}$.

Enfin terminons par le résultat suivant:

ROPOSITION 13 - <u>Soit</u> U <u>un sous-groupe de</u> G <u>d'indice</u> <u>'ini.</u> <u>Soit</u> A,B <u>dans</u> Mod(G), <u>et</u> $\phi : A \to B$ <u>un mor-</u> <u>hisme dans</u> Mod(U). <u>Alors on a</u> (H_G <u>et</u> H_U <u>désignant</u> <u>es foncteurs ordinaires ou spéciaux</u>)

$$H_G(S_G^U(\phi)) = tr_G^U \circ H_U(\phi) \circ res_U^G$$

<u>émonstration</u>: La démonstration se fait de nouveau en onstatant que l'énoncé est évident en dimension 0, et en e servant du dimension shifting. En effet, si on pplique la trace S_G^U et le fait qu'on peut sortir un -morphisme d'une trace, on trouve un diagramme commutatif

$$\begin{array}{ccccccccc} 0 & \to & A & \to & M_G(A) & \to & X_A & \to & 0 \\ & & \downarrow & & \downarrow & & \downarrow & & \\ 0 & \to & B & \to & M_G(B) & \to & X_B & \to & 0 \end{array}$$

es trois applications verticales étant respectivement $_G^U(\phi)$, $S_G^U(M(\phi))$ et $S_G^U(X(\phi))$. Dans l'hypothèse de la roposition on remplace ϕ par $X(\phi) : X_A \to X_B$ et on uppose la proposition démontrée pour $X(\phi)$. On a alors eux carrés:

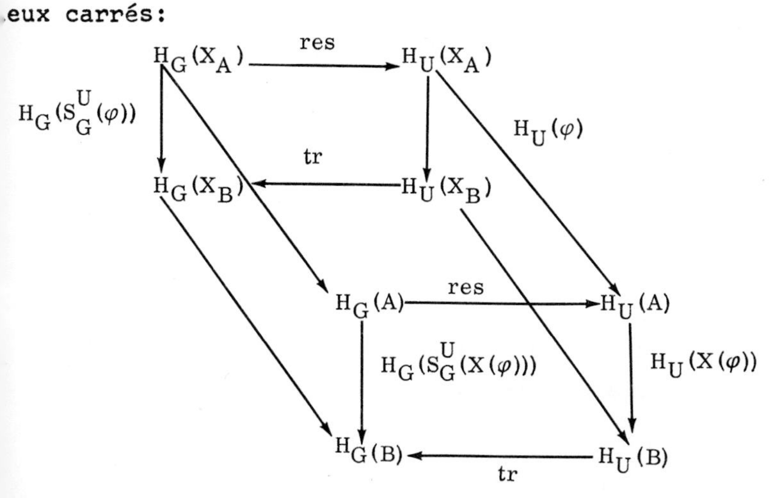

et des cobords (non identiques que s'imaginera le lecteur) qui en font un cube. De plus, ces cobords sont surjectifs. Il suffit alors d'appliquer les relations de commutativité connues pour démontrer la proposition. Si on a besoin d'aller à gauche pour le foncteur spécial, on emploie les diagrammes duaux.

COROLLAIRE 4 - <u>Si</u> G <u>est fini</u>, $A, B \in \mathrm{Mod}(G)$ <u>et</u> $\phi : A \to B$ <u>est un</u> $\mathbb{Z}$-<u>morphisme</u>, <u>alors</u> $S_G(\phi) : A \to B$ <u>induit</u> 0 <u>sur tous les groupes de cohomologie</u>.

<u>Démonstration</u>: Prenons $U = 1$ dans la proposition.

Enfin, donnons la formule explicite du transfert pour les cochaines. Soit $G = \bigcup U\bar{c}$ une décomposition en cosets à droite. Soit $f(\sigma_o, \ldots, \sigma_r)$ une cochaine standard pour $r \geqq 0$. Alors le transfert est induit par la formule:

$$tr_G^U(f)(\sigma_o, \ldots, \sigma_r) = \sum_c \bar{c}^{-1} f(\bar{c}\sigma_o \overline{c\sigma_o}^{-1}, \ldots, \bar{c}\sigma_r \overline{c\sigma_r}^{-1}).$$

Pour une cochaine non homogène, on a:

$$tr_G^U(f)(\sigma_1, \ldots, \sigma_r) =$$

$$\sum_c \bar{c}^{-1} f(\bar{c}\sigma_1 \overline{c\sigma_1}^{-1}, \ldots, \overline{c\sigma_1}\sigma_2 \overline{c\sigma_1\sigma_2}^{-1}, \ldots, \overline{c\sigma_1 \ldots \sigma_{r-1}}\sigma_r \overline{c\sigma_1 \ldots$$

(f) <u>Translation</u>. Dans les applications, particulièrement dans la théorie de Galois, on peut expliciter encore une application. Soit donc G un groupe, U un sous-groupe, et N un sous-groupe normal de G. Soit $A \in \mathrm{Mod}(G)$. On a alors le lattice de sous-module de A:

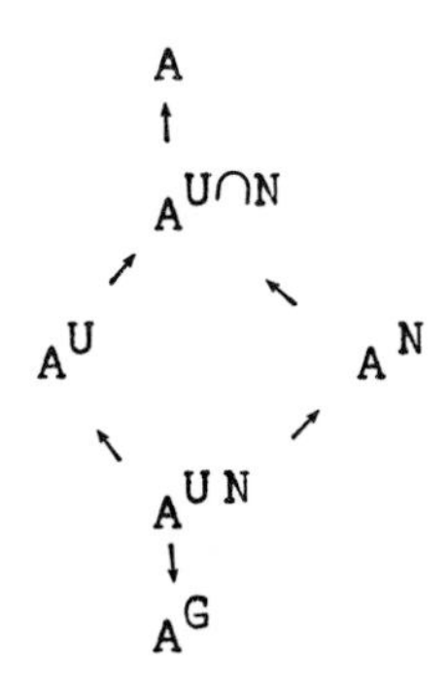

ar le théorème d'isomorphisme élémentaire, on a:

$$UN/N \approx U/U\cap N$$

t U opère sur A^N puisque G opère sur A^N. En
utre, $U\cap N$ laisse A^N invariant, et donc on a une
pplication dite de <u>translation</u>,

$$tsl_* : H^r(UN/N, A^N) \rightarrow H^r(U/U\cap N, A^{U\cap N}) \quad (r\in\mathbb{Z})$$

'isomorphisme de UN/N avec $U/U\cap N$ étant compatible
vec l'inclusion de A^N dans $A^{U\cap N}$, et de même pour
r avec $r\geqq 0$. Ne considérant que H^r, on a un
iagramme commutatif:

$$\begin{array}{ccccc}
H^r(G/N, A^N) & \xrightarrow{\text{res.}} & H^r(UN/N, A^N) & \rightarrow & H^r(UN, A) \\
 & & \downarrow \text{tsl.} & & \\
\text{nf.} \downarrow & & H^r(U/U\cap N, A^{U\cap N}) & & \downarrow \text{res.} \\
 & & \downarrow \text{inf} & & \\
H^r(G, A) & \xrightarrow[\text{res}]{} & H^r(U, A) & \xrightarrow[\text{id.}]{} & H^r(U, A)
\end{array}$$

our tout $r\geqq 0$. La composition des applications qu'on
eut faire de trois façons:

$$tsl_* : H^r(G/N, A^N) \rightarrow H^r(U,A)$$

sera aussi appelée une translation, et notée tsl_*.

En dimension -1, nous avons la détermination suivante:

PROPOSITION 14 - _Soit_ G _un groupe fini, et_ U _un sous-groupe. Soit_ $A \in Mod(G)$.

1.) _Pour_ $a \in A_{S_G}$, _on a_ $S_G^U(a) \in A_{S_U}$, _et_

$$res_U^G Ж_G(a) = Ж_U(S_G^U(a)).$$

2.) _Pour_ $a \in A_{S_U}$, _on a_ $a \in A_{S_G}$, _et_

$$tr_G^U Ж_U(a) = Ж_G(a).$$

3.) _Soit_ $a \in A_{S_U}$, _et_ $\sigma \in G$. _Alors_ $\sigma^{-1} a \in A_{S_{U^\sigma}}$, _et_

$$\sigma_* Ж_U(a) = Ж_{U^\sigma}(\sigma^{-1} a).$$

Démonstration: Dans chaque cas, on vérifie explicitement que le morphisme du foncteur H^{-1} donné par la formule de droite est un δ-morphisme, pour la paire de foncteurs H^{-1} et H^0. On peut alors appliquer le théorème d'unicité. La vérification ne présente aucune difficulté et nous la laissons au lecteur. Pour le cobord, on se servira de sa définition explicite telle que nous l'avons écrite au chapitre I.

Exprimée en termes plus imagés, la proposition pré-

:édente dit que la restriction et le transfert correspon-
lent respectivement à la trace et l'inclusion (i.e. l'ordre
:st renversé par rapport à la dimension 0). La conjugai-
on n'est autre que l'application de σ^{-1} à un élément
eprésentant une classe de cohomologie.

A la fin du chapitre I, nous avons donné une déter-
ination explicite de $H^{-2}(G,\mathbf{Z})$. Nous allons maintenant
ndiquer comment le transfert, restriction et conjugaison
e comportent par rapport à cette détermination.

Nous rappelons qu'on suppose dans tout ce qui suit
u'on a l'isomorphisme:

$$H^{-2}(G,Z) \overset{\delta}{\approx} H^{-1}(G,I_G) = I_G/I_G^2 \approx G/G^c .$$

i τ est dans G, on désignera par ζ_τ l'élément de
$^{-2}(G,\mathbf{Z})$ qui lui correspond.

HEOREME 1 - Soit U un sous-groupe du groupe fini G.
lors:

1.) Le transfert $tr_G^U : H^{-2}(U,Z) \to H^{-2}(G,Z)$ corres-
ond à l'application naturelle de U/U^c dans G/G^c
nduite par l'inclusion de U dans G : $Tr_G^U(\zeta_\tau) = \zeta_\tau$.

2.) La restriction $res_U^G : H^{-2}(G,\mathbf{Z}) \to H^{-2}(U,\mathbf{Z})$
orrespond au transfert de la théorie des groupes,
$_U^G : G/G^c \to U/U^c$ (Cf. Zassenhaus, Lehrbuch der Gruppen-
heorie, chap.V) : $res_U^G(\zeta_\sigma) = \zeta_{V(\sigma)}$.

3.) La conjugaison $\sigma_* : H^{-2}(U,\mathbf{Z}) \to H^{-2}(U^\sigma,\mathbf{Z})$
orrespond à l'application de U/U^c dans $U^\sigma/(U^\sigma)^c$

<u>induite par la conjugaison ordinaire de</u> $\sigma \in G$, <u>ou en formule</u>, $\sigma_*(\zeta_\tau) = \zeta_{\sigma\tau\sigma^{-1}}$.

<u>Démonstration</u>: L'algèbre de groupe de U est contenue canoniquement dans celle de G. On obtient donc un diagramme commutatif dans la catégorie de U-modules:

$$\begin{array}{ccccccccc} 0 & \to & I_U & \to & \mathbf{Z}(U) & \to & \mathbf{Z} & \to & 0 \\ & & \text{inc} \downarrow & & \text{inc} \downarrow & & \downarrow 1 & & \\ 0 & \to & I_G & \to & \mathbf{Z}(G) & \to & \mathbf{Z} & \to & 0 \end{array}$$

les applications verticales étant des inclusions, et celle de droite l'identité. Les suites horizontales sont bien entendu exactes. En conséquence, on a un diagramme commutatif:

$$\begin{array}{ccc} H^{-2}(U,\mathbf{Z}) & \xrightarrow{\delta} & H^{-1}(U,I_U) \approx I_U/I_U^2 \\ 1 \downarrow & & \downarrow \text{inc.}_* \\ H^{-2}(U,\mathbf{Z}) & \xrightarrow[\delta]{} & H^{-1}(U,I_G) \approx (I_G)_{S_U}/I_U I_G \,. \end{array}$$

Les cobords sont des isomorphismes, et par conséquent, inc._* en est un aussi, de sorte qu'on peut écrire, comme nous l'avons fait, $(I_G)_{S_U}/I_U I_G$ au lieu de I_U/I_U^2. En dimension -1, nous sommes en mesure d'employer la détermination explicite de la proposition précédente. Nous considérons chaque cas.

Soit $\tau \in U$. Alors $\tau - 1$ est dans $(I_G)_{S_U}$, et on a:

$$tr_G^U Ж_U(\tau-1) = Ж_G(\tau-1)$$

ce qui démontre (1).

Soit $\sigma \in G$. On a:

$$\operatorname{res}^G_U \text{Ж}_G(\sigma-1) = \text{Ж}_U\Big(\sum_c \bar{c}\,(\sigma-1)\Big)$$

où c parcourt les cosets à droite de U, et $\bar{c}$ désigne un représentant de c. On a:

$$\sum_c \bar{c}(\sigma-1) = \sum_c (\bar{c}\sigma - \overline{c\sigma})$$

car $c \mapsto c\sigma$ ne fait que permuter les cosets. Puisque $\bar{c}\sigma\overline{c\sigma}^{-1}$ est dans U, on peut récrire cette égalité sous la forme:

$$\sum_c (\bar{c}\sigma\overline{c\sigma}^{-1} -1)(\overline{c\sigma} -1) + \sum_c (\bar{c}\sigma\overline{c\sigma}^{-1} -1)$$

$$\equiv \sum_c (\bar{c}\sigma\overline{c\sigma}^{-1} -1) \quad (\operatorname{mod} I_U I_G).$$

Si on applique Ж aux deux côtés, on voit que (2) est démontré, compte tenu de la définition du transfert en théorie des groupes, qui donne.

$$V^G_U(\sigma G^c) = \prod_c (\bar{c}\sigma\overline{c\sigma}^{-1} U^c).$$

Notre troisième assertion se démontre de la même façon, en employant le calcul:

$$\begin{aligned} \sigma^{-1}(\sigma\tau\sigma^{-1} -1) &= \tau\sigma^{-1} - \sigma^{-1} \\ &= (\tau-1)(\sigma^{-1} -1) + (\tau-1) \\ &\equiv (\tau-1) \mod I_U I_G . \end{aligned}$$

2. Groupes de Sylow

Nous rappelons que si G est un groupe fini d'ordre N, pour chaque premier p divisant N il existe un groupe de Sylow G_p de G, i.e. un sous-groupe d'ordre une puissance de p, tel que $(G : G_p)$ soit premier à p. En outre, deux tels sous-groupes sont conjugués.

En particulier, si $A \in \mathrm{Mod}(G)$, on voit que $H^r(G_p,A)$ est bien déterminé à un isomorphisme de conjugaison près.

On sait d'après le corollaire 2 à la proposition 12 que $H^r(G,A)$ est un groupe de torsion. Il s'ensuit que:

$$H^r(G,A) = \prod_{p|N} H^r(G, A, p)$$

la somme étant directe sur tous les premiers divisant N, compte tenu du fait que pour tout élément $\alpha \in H^r(G,A)$, on a $N\alpha = 0$ en vertu de ce corollaire. Ici, on désigne par $H^r(G,A,p)$ les éléments de $H^r(G,A)$ dont l'ordre est une puissance de p. On remarquera que si $G = G_p$ est un p-groupe, alors $H^r(G,A) = H^r(G,A,p)$.

THEOREME 2 - <u>Soit</u> G_p <u>un</u> p-<u>Sylow groupe de</u> G. <u>Alors pour tout</u> $r \in \mathbf{Z}$, <u>la restriction</u>:

$$\mathrm{res}^G_{G_p} : H^r(G,A,p) \to H^r(G_p,A)$$

<u>est un monomorphisme</u>, <u>et le transfert</u>

$$\mathrm{tr}^{G_p}_G : H^r(G_p,A) \to H^r(G,A,p)$$

est surjectif. *On a une décomposition en somme directe*

$$H^r(G_p,A) = \text{Im}\ res^G_{G_p} + \text{Ker}\ tr^{G_p}_G$$

Démonstration: Soit $q = (G_p : 1)$ l'ordre de G_p, et $m = (G : G_p)$. Ces entiers étant relativement premiers, il existe un entier m' tel que $m'm \equiv 1 \pmod q$. Pour tout $\alpha \in H^r(G,A,p)$ on a:

$$\alpha = m'm\alpha = m'\ tr^{G_p}_G\ res^G_{G_p}\ \alpha = tr^{G_p}_G m'\ res^G_{G_p}\ \alpha,$$

d'où les deux premières assertions. Pour la troisième, on a pour $\beta \in H^r(G_p, A)$

$$\beta = res\ m'\ tr\beta\ + (\beta - res\ m'\ tr\beta),$$

la restriction et transfert étant pris comme ci-dessus. On voit immédiatement que le premier terme est l'image de la restriction, et le second dans le noyau du transfert. La somme est directe, car si $\beta = res\ \alpha$, $tr(\beta) = 0$, alors $tr(res(\alpha)) = m\alpha = 0$ d'où $m'm\alpha = \alpha = 0$ et donc $\beta = 0$.

COROLLAIRE 1 - *Pour chaque* $p|N$, *soit* G_p *un* p-*Sylow groupe de* G. *Alors pour un* r *donné*, *l'application*:

$$\alpha \mapsto \prod_{p|N} res^G_{G_p}(\alpha)$$

est un monomorphisme de $H^r(G,A)$ *dans* $\prod_{p|N} H^r(G_p,A)$.

COROLLAIRE 2 - *Si* $H^r(G_p,A)$ *est d'ordre fini pour tout* $p|N$, *alors il en est de même de* $H^r(G,A)$, *et l'ordre de*

<u>ce dernier divise le produit des ordres de</u> $H^r(G_p,A)$.

COROLLAIRE 3 - <u>Si</u> $H^r(G_p,A) = 0$ <u>pour tout</u> p, <u>alors</u> $H^r(G,A) = 0$.

3. <u>Représentations Induites</u>

Soit G un groupe et S un sous-groupe. Nous allons définir un foncteur:

$$M_G^S : \mathrm{Mod}(S) \to \mathrm{Mod}(G).$$

Soit $B \in \mathrm{Mod}(S)$. Alors on désigne par $M_G^S(B)$ l'ensemble des fonctions sur G à valeurs dans B, qui satisfont l'identité:

$$\sigma f(x) = f(\sigma x), \qquad \sigma \in S \text{ et } x \in G.$$

On peut aussi écrire $M_G^S(B) = (M_G(B))^S$. On fait la somme de deux fonctions comme d'habitude, selon leurs valeurs, et on définit une opération de G sur $M_G^S(B)$ par la formule:

$$(\sigma f)(x) = f(x\sigma) \qquad \sigma,\ x \in G.$$

Nous laissons au lecteur la démonstration de la transitivité.

PROPOSITION 15 - <u>Soient</u> $S \supset T$ <u>deux sous-groupes de</u> G. <u>Alors les foncteurs</u> $M_G^S \circ M_S^T$ <u>et</u> M_G^T <u>sont isomorphes</u>.

Pour le reste de ce numéro, nous désignerons par $\{c\}$ l'ensemble des cosets à droite de S. On choisira une fois pour toutes un système de représentants de ces cosets, et le représentant de c sera noté $\bar{c}$. De même, si $\sigma \in G$, on notera $\bar{\sigma}$ le représentant de $S\sigma$. On peut donc écrire:

$$G = \bigcup_c S\bar{c} = \bigcup_c \bar{c}^{-1} S$$

les $\bar{c}^{-1}$ formant un système de représentants pour les cosets à gauche.

Par définition, on a:

$$S\bar{c}\sigma = S\overline{c\sigma}$$

quel que soit le coset c, et $\sigma \in G$. Par conséquent, on a:

$$\bar{c}\sigma\overline{c\sigma}^{-1} \in S.$$

PROPOSITION 16 - _Soit_ G _un groupe, et_ S _un sous-groupe._ _Soit_ $G = \bigcup c = \bigcup_c S\bar{c}$ _une décomposition de_ G _en cosets à droite_. _Alors l'application_:

$$f \mapsto \text{res } f$$

qui fait correspondre à une fonction f _dans_ $M_G^S(B)$ _sa restriction à l'ensemble des_ $\bar{c}$ _établit un_ $\mathbb{Z}$-_isomorphisme entre_ $M_G^S(B)$ _et le groupe additif des fonctions sur_ G/S _à valeurs dans_ B.

Démonstration: La formule $f(\sigma\tau) = \sigma f(\tau)$ pour $\sigma \in S$ et $\tau \in G$ montre que la connaissance des valeurs $f(\bar{c})$ pour tous les c détermine la connaissance de f. L'application est donc injective. En outre, si on se donne une application $f_o : G/S \to B$, et si on pose $f_o(\bar{c}) = f_o(c)$, on peut étendre f_o à une fonction f sur G, par cette même formule.

PROPOSITION 17 - _Soit_ G _un groupe_, S _un sous-groupe. Alors_ M_G^S _est un foncteur additif, covariant, exact, de_ Mod(S) _dans_ Mod(G).

Démonstration: Si $B \xrightarrow{\phi} B'$ est surjectif, et si $f' : G/S \to B'$ est donné, pour chaque valeur $f'(\bar{c})$ il existe un élément $b \in B$ tel que $\phi b = f'(\bar{c})$. On peut donc définir une fonction $f : G/S \to B$ telle que $f\phi = f'$. De là, on voit que $M_G^S(B) \to M_G^S(B')$ est surjectif. Le reste est trivial.

Nous avons maintenant le résultat fondamental suivant:

THEOREME 3 - _Soit_ G _un groupe_, S _un sous-groupe. Alors les bifoncteurs_ $\mathrm{Hom}_G(A, M_G^S(B))$ _et_ $\mathrm{Hom}_S(A,B)$ _sur la catégorie produit_ $\mathrm{Mod}(G) \times \mathrm{Mod}(S)$ _à valeurs dans_ $\mathrm{Mod}(\mathbf{Z})$ _sont isomorphes. L'isomorphisme est exhibé par l'application_:

$$\phi \mapsto (a \mapsto g_a),$$

avec $\phi \in \mathrm{Hom}_S(A,B)$, _et_ $g_a \in M_G^S(B)$ _étant défini par_ $g_a(\sigma) = \phi(\sigma a)$. _L'application réciproque est donnée par_:

$$f \mapsto f(1),$$

avec $f \in \mathrm{Hom}_G(A, M_G^S(B))$.

Démonstration: La démonstration est parfaitement straightforward, et nous la laissons au lecteur.

COROLLAIRE 1 - On a $(M_G^S(B))^G \approx B^S$.

Démonstration: Prenons $A = \mathbb{Z}$ dans le théorème.

COROLLAIRE 2 - Si B est injectif dans $\mathrm{Mod}(S)$ alors $M_G^S(B)$ est injectif dans $\mathrm{Mod}(G)$.

Démonstration: C'est évident à partir de la définition d'injectifs.

THEOREME 4 - Soit G un groupe et S un sous-groupe. Alors l'application:

$$H^r(G, M_G^S(B)) \to H^r(S, B)$$

obtenue par la composition de restriction res_S^G suivie du S-morphisme $g \mapsto g(1)$, est un isomorphisme pour $r \geq 0$.

Démonstration: On a deux foncteurs cohomologiques: $H_G \circ M_G^S$ et H_S sur $\mathrm{Mod}(S)$, du fait que M_G^S est exacte. En vertu des corollaires 1 et 2, ils s'annulent tous deux sur les injectifs, et sont isomorphes en dimension 0. Par le théorème d'unicité ils sont isomorphes en toutes dimensions. Cet isomorphisme est celui énoncé dans le théorème, car si on désigne par $\pi : M_G^S(B) \to B$ le S-morphisme tel que $\pi g = g(1)$, alors:

$$H_S(\pi) \circ \operatorname{res}_S^G : H_G \circ M_G^S \to H_S$$

est évidemment un δ-morphisme qui,en dimension 0, induit bien l'isomorphisme voulu de $(M_G^S(B))^G$ sur B^S. Cela démontre le théorème.

Soit U d'indice fini dans G.

Posons maintenant $A = M_G^U(B)$. On définit un endomorphisme $\pi_c : A \to A$ de A dans lui-même par la formule:

$$\pi_c(f)(\sigma) = \begin{cases} 0 & \sigma \in U \\ f(\sigma\bar{c}) & \sigma \in U \end{cases}$$

En effet, π_c est additif, et si $\tau \in U$, on trouve:

$$\tau(\pi_c f)(\sigma) = (\pi_c f)(\tau\sigma)$$

pour tout $\sigma \in G$, car si $\sigma \in U$, alors les deux côtés de cette équation sont égaux à 0, et si $\sigma \in U$, on emploie le fait que $f \in M_G^U(B)$ pour conclure qu'ils sont égaux.

Désignons par A_1 l'ensemble des $f \in M_G^U(B)$ tels que $f(\sigma) = 0$ si $\sigma \in U$. Alors A_1 est un U-module, comme on le voit immédiatement, et nous avons le théorème suivant:

THEOREME 5 - *Soit* U *d'indice fini dans* G. *Alors:*

1.) *Si* A_1 *désigne les éléments* f *de* $M_B^U(B)$ *tels que* $f(\sigma) = 0$ *si* $\sigma \in U$, *alors:*

$$M_G^U(B) = \prod_c \bar{c}^{-1} A_1$$

et tout f s'écrit de manière unique $f = \sum \bar{c}^{-1}(\pi_c f)$.

2.) A_1 est U-isomorphe à B par l'application $f \mapsto f(1)$.

Démonstration: Pour la première assertion, soit $\sigma = \tau\bar{c}_o$, $\tau \in U$.

$$\sum \bar{c}^{-1}(\pi_c f)(\sigma) = \sum \bar{c}^{-1}(\pi_c f)(\tau\bar{c}_o)$$

$$= \sum (\pi_c f)(\tau\bar{c}_o\bar{c}^{-1})$$

Si $c \neq c_o$, alors le terme correspondant est 0. Donc dans la somme que nous considérons, il n'y aura qu'un terme $\neq 0$, celui où $c = c_o$, auquel cas on trouve la valeur $f(\tau\bar{c}_o) = f(\sigma)$. Cela montre que f s'écrit bien comme ci-dessus, et il est évident que la somme est directe. Enfin A_1 est U-isomorphe à B, car chaque $f|A_1$ est uniquement déterminé par sa valeur $f(1)$, compte tenu du fait que $\tau f(1) = f(\tau)$ pour $\tau \in U$. Ce même fait montre bien que nous avons un U-isomorphisme, car si $b \in B$, on peut définir $f|A_1$ en prescrivant que $f(1) = b$ et $f(\tau) = \tau b$. Cela démontre notre théorème.

Soit de nouveau G un groupe et U un sous-groupe d'indice fini.

Soit $A \in \mathrm{Mod}(G)$. On dira que A est semi-local relativement à U, ou pour U s'il existe un sous-U-module A_1 de A tel que A soit égal à la somme directe:

$$A = \Pi \bar{c}^{-1} A_1.$$

On dira que le U-module A_1 est sa <u>composante locale</u>. Il est évident que A est uniquement déterminé par sa composante locale à un isomorphisme près, ou plus précisément: *Soit* $\phi_1 : A_1 \to A_1'$ *un* U-*isomorphisme, et* A, A' *deux* G-*modules, semi-locaux pour* U, *de composantes locales* A_1 *et* A_1' *respectivement. Alors il existe un et un seul* G-*isomorphisme* $\phi : A \to A'$ *qui prolonge* ϕ_1.

La démonstration est évidente.

PROPOSITION 18 - *Soit* $A \in Mod(G)$, A_1 *un sous* $\mathbf{Z}$-*module de* A. *Supposons que* A *soit somme directe d'un nombre fini des* σA_1. *Alors* A *est semi-local pour le sous-groupe* U *des* $\tau \in G$ *tels que* $\tau A_1 = A_1$.

Démonstration: évidente.

Le théorème exprime le résultat qu'à chaque U-module B, il existe un G-module semi-local pour U, de composante locale (U,B).

PROPOSITION 19 - *Soit* $A \in Mod(G)$, U *d'indice fini dans* G, *et* A *semi-local pour* U, *de composante locale* A_1. *Alors si* $\pi_1 : A \to A_1$ *désigne la projection et* π *sa composition avec l'inclusion de* A_1 *dans* A, *l'identité de* A *est la trace de* π, *c'est-à-dire qu'on a*:

$$id._A = S_G^U(\pi).$$

Démonstration: Tout élément $a \in A$ peut s'écrire d'une seule manière:

$$a = \sum_{c} \bar{c}^{-1} a_c$$

avec $a_c \in A_1$. Par définition, on a:

$$S_G^U(\pi)(a) = \sum \bar{c}^{-1} \pi \bar{c} a.$$

La proposition est alors évidente à partir des définitions, compte tenu du fait que si c_1, c_2 sont deux cosets différents, alors $\pi \bar{c}_1 \bar{c}_2^{-1} a_{c_2} = 0$.

Si G est fini, on peut encore expliciter la trace.

PROPOSITION 20 - Soit G un groupe, U un sous-groupe d'indice fini, et A un G-module, semi-local pour U, de composante locale A_1. Alors un élément $a \in A$ est dans A^G si et seulement si $a = \sum_{c} \bar{c}^{-1} a_1$ avec $a_1 \in A_1^U$. Si G est fini, alors $a \in S_G A$ si et seulement si $a_1 \in S_U A_1$ dans la formule qui précède. Les foncteurs $\mathbf{H}_G^0(M_G^U(B))$ et $\mathbf{H}_U^0(B)$ sont isomorphes.

Démonstration: On vérifie immédiatement que l'ensemble des éléments de la forme indiquée est contenu dans A^G, et la projection les applique sur A_1^U. Comme on sait déjà que la projection donne un isomorphisme entre A^G et A_1^U, il s'ensuit que tous les éléments de A^G ont bien la forme indiquée. En outre, si G est fini, on a:

$$S_G(b) = \sum_c \bar{c}^{-1} \left(\sum_{\tau \in U} \tau b \right)$$

et notre deuxième assertion découle trivialement de cette formule.

Pour les groupes finis, le foncteur M_G^U applique les modules réguliers sur des modules réguliers: cela est important vu que ces modules annulent la cohomologie. De façon précise:

PROPOSITION 21 - *Soit* G *un groupe fini*, U *un sous-groupe. Si* A *est semi-local*, *de composante locale* (U,A_1), *et si* A_1 *est* U-*régulier*, *alors* A *est* G-*régulier*.

Démonstration: Si on peut écrire $id_{A_1} = S_U(\phi)$ avec un **Z**-morphisme ϕ, alors:

$$id_A = S_G^U(\pi S_U(\phi)) = S_G^U(S_U(\pi\phi)) = S_G(\pi\phi),$$

ce qui démontre que A est G-régulier.

COROLLAIRE - *Soit* G *un groupe fini*, U *un sous-groupe*, *et* B *un* U-*module*. *Si* B *est* U-*régulier*, *alors* $M_G^U(B)$ *est* G-régulier.

THEOREME 6 - *Soit* G *un groupe*, U *un sous-groupe*, *d'indice fini*. *Soit* A *semi-local pour* U, *de composante locale* A_1, *et* $\pi_1 : A \to A_1$ *la projection*. *Soit* $inc : A_1 \to A$ *le* U-*morphisme d'inclusion*. *Alors les applications*:

$$H_U(\pi_1) \circ \mathrm{res}_U^G \qquad \text{et} \qquad \mathrm{tr}_G^U \circ H_U(\mathrm{inc})$$

<u>sont des isomorphismes réciproques entre</u> $H^r(G,A)$ <u>et</u> $H^r(U,A_1)$. <u>Si</u> G <u>est fini, il en est de même si on remplace</u> H <u>par</u> $\mathbf{H}$ <u>dans ce qui précède</u>.

<u>Démonstration</u>: La composition $A \xrightarrow{\pi_1} A_1 \xrightarrow{\mathrm{inc}} A$ est un U-morphisme de A dans lui-même. Désignons-le par π. On sait que l'identité de A est la trace de ce morphisme. On peut alors appliquer la Proposition du §1 pour démontrer ce qu'on veut dans le cas de H. Pour le foncteur spécial quand G est fini, on emploie le corollaire qui précède, qui nous permet d'établir un isomorphisme entre $\mathbf{H}^r(G,A)$ et $\mathbf{H}^r(U,A_1)$ pour tout r, compte tenu du théorème d'unicité des foncteurs cohomologiques qui s'annulent sur les modules U-réguliers dans Mod(U), les foncteurs en question étant $H_G \circ M_G^U$ et H_U. Cela démontre le théorème.

4. <u>Doubles Cosets</u>

Soit G un groupe, U un sous-groupe d'indice fini, et S un sous-groupe de G. Alors on sait (trivialement) qu'on peut écrire une décomposition disjointe de G en cosets doubles,

$$G = \bigcup_{\omega} U\omega S = \bigcup_{\omega} S\omega^{-1} U,$$

les ω parcourant certains éléments de G, en nombre fini, puisque U est d'indice fini. Pour chaque ω, écrivons une décomposition en cosets simples:

$$S = \bigcup_{\tau_\omega} (S \cap U^\omega)\tau_\omega = \bigcup_{\tau_\omega} \tau_\omega^{-1} (S \cap U^\omega),$$

les τ_ω parcourant un ensemble fini d'éléments de S dépendant de ω. Alors je dis que:

$$G = \bigcup_{\omega,\tau_\omega} U\omega\tau_\omega = \bigcup_{\omega,\tau_\omega} \tau_\omega^{-1}\,\omega^{-1}\,U$$

est une décomposition de G en cosets de U, de sorte qu'on a décomposé les représentants $\bar{c}$ en fonction des ω.

La démonstration est facile. D'une part, on a par hypothèse:

$$G = \bigcup_{\tau_\omega} \bigcup_{\omega} U\omega(S \cap U^\omega)\tau_\omega$$

et chaque élément de G se met sous la forme $u_1\omega\omega^{-1}u_2\omega\tau_\omega = u\omega\tau_\omega$, et d'autre part on voit que les $\omega\tau_\omega$ représentent des cosets différents, car si $U\omega\tau_\omega = U\omega'\tau_{\omega'}$, alors $\omega = \omega'$ puisque les ω représentent des cosets doubles distincts par rapport à S, d'où τ_ω et τ'_ω représentent le même coset de $\omega^{-1}U\omega$, et sont par conséquent égaux.

Nous préserverons les notations ci-dessus pour le reste de ce numéro.

PROPOSITION 22 - <u>Appliqués au foncteur cohomologique</u> H_U (<u>ou</u> H_U <u>si</u> G <u>est fini</u>) <u>de</u> Mod(G), <u>les morphismes suivants sont égaux</u>:

$$\mathrm{res}_S^G \circ \mathrm{tr}_G^U = \sum_{\omega} \mathrm{tr}_S^{S\cap U^{\omega}} \circ \mathrm{res}_{S\cap U^{\omega}}^{U^{\omega}} \circ \omega_* .$$

<u>Démonstration</u>: Comme d'habitude, il suffit de vérifier cette formule en dimension 0. Prenons donc $a \in A^U$. Alors l'opération de gauche consiste à prendre d'abord la trace, $S_G^U(a)$, et ensuite à appliquer la restriction qui n'est autre que l'inclusion. L'opération de droite consiste à prendre d'abord $\omega^{-1}a$, ensuite à appliquer la restriction qui n'est autre que l'inclusion, puis la trace

$$\mathrm{tr}_S^{S\cap U^{\omega}} (\omega^{-1}a) = \sum_{\tau_{\omega}} \tau_{\omega}^{-1} \omega^{-1} a$$

en vertu de la décomposition en cosets ci-dessus. En faisant la somme sur les ω, on trouve bien ce qu'on veut, i.e. Tr_G^U .

COROLLAIRE - <u>Si</u> U <u>est un sous-groupe d'indice fini dans</u> G <u>et</u> U <u>est invariant</u>, <u>alors pour</u> $\alpha \in \mathbf{H}^r(U,A)$ <u>et</u> $A \in \mathrm{Mod}(G)$, <u>on a</u>:

$$\mathrm{res}_U^G\ \mathrm{tr}_G^U\ \alpha = S_{G/U}(\alpha).$$

<u>Démonstration</u>: évidente.

On dira qu'un élément $\alpha \in \mathbf{H}(U,A)$ est <u>stable</u> si pour tout $\sigma \in G$, on a:

$$\mathrm{res}_{U\cap U^{\sigma}}^{U^{\sigma}} \circ \sigma_*(\alpha) = \mathrm{res}_{U\cap U^{\sigma}}^{U}(\alpha).$$

Si U est invariant, un élément est stable si et seulement si $\sigma_*\alpha = \alpha$ pour tout $\sigma \in G$.

PROPOSITION 23 - Soit G un groupe, U un sous-groupe, et $\alpha \in H^r(U,A)$. Si $\alpha = \mathrm{res}_U^G \beta$, alors α est stable.

Démonstration: On sait que $\sigma_*\beta = \beta$. Par conséquent, on trouve:

$$\mathrm{res}_{U \cap U^\sigma}^{U^\sigma} \circ \sigma_*(\alpha) = \mathrm{res}_{U \cap U^\sigma}^{U^\sigma} \circ \sigma_* \circ \mathrm{res}_U^G(\beta)$$

$$= \mathrm{res}_{U \cap U^\sigma}^{U^\sigma} \mathrm{res}_{U^\sigma}^{G} \sigma_*(\beta)$$

$$= \mathrm{res}_{U \cap U^\sigma}^{G}(\beta).$$

En déroulant cette formule via le sous-groupe intermédiaire U au lieu de U^σ, on trouve ce qu'on veut.

PROPOSITION 24 - Si $\alpha \in H^r(U,A)$ est stable, alors:

$$\mathrm{res}_U^G \circ \mathrm{tr}_G^U (\alpha) = (G : U)\ \alpha.$$

Démonstration: On applique la formule générale en prenant les deux sous-groupes égaux. Le calcul est trivial et on le laisse au lecteur.

Supposons maintenant que A soit semi-local pour U, de composante locale A_1, projection $\pi_1 : A \to A_1$. Alors S ne permute peut-être plus les A_c transitivement. En fait, on a:

PROPOSITION 25 - Les notations étant comme ci-dessus, soit

$\sigma \in G$, _alors_,

$$\sigma \in S\omega^{-1}U$$

si et seulement si σA_1 _est dans le même domaine de transitivité de_ S _que_ $\omega^{-1}A_1$. _Le module_ $\sum_{\tau_\omega} \tau_\omega^{-1} \omega^{-1}A_1$ _pour chaque_ ω _est un_ S-_module_, _semi-local pour_ $S \cap U^\omega$, _de composante locale_ $\tau_\omega^{-1} \omega^{-1} A_1$.

Démonstration: C'est évident à partir de la décomposition de G en cosets $\tau_\omega^{-1} \omega^{-1} U$.

Si S et U sont tous deux d'indice fini, on remarquera la symétrie dans les formules précédentes; et en particulier dans la décomposition en doubles cosets. En particulier, nous pouvons récrire la formule de la Proposition 23 sous la forme:

$$(*) \qquad res_U^G \circ tr_G^S = \sum_\omega \omega_*^{-1} \circ tr_{U^\omega}^{U^\omega \cap S} \circ res_{U^\omega \cap S}^S ,$$

compte tenu de la commutativité de ω_* et des autres applications, en remplaçant U par S, S par U et ω par ω^{-1}.

CHAPITRE III

TRIVIALITE COHOMOLOGIQUE

Dans ce chapitre, nous considérons uniquement des <u>groupes finis</u> et pour alléger les notations, on désignera par H_G le foncteur cohomologique spécial i.e. tel qu'en dimension 0 on ait $H_G(A) = A^G / S_G A$.

1. <u>Le Théorème des Jumeaux</u>

Le résultat principal de ce numéro est le théorème 1 qui suit. Nous aurons besoin d'un groupe de résultats auxiliaires. Dans ce chapitre, on désigne par Z_p l'anneau Z/pZ.

PROPOSITION 1 - *Soit* G *un p-groupe, et* A *un* G-*module fini d'ordre une puissance de* p. *Alors* $A^G = 0$ *implique* $A = 0$.

<u>Démonstration</u>: On écrit A comme union disjointe des orbites. Autrement dit, on introduit une relation d'équivalence dans A, $x \sim y$, si il existe $\sigma \in G$ tel que $\sigma x = y$. Le nombre d'éléments de chaque classe d'équivalence est évidemment égal à l'indice du groupe d'isotropie, i.e. si G_x est l'ensemble des éléments σ de G tels que $\sigma x = x$, alors l'orbite de x contient $(G : G_x)$ éléments. On peut donc écrire:

$$(A : 0) = \sum m_i p^i$$

où m_i est le nombre de classes contenant p^i éléments. Comme 0 est invariant par G, et que p divise $(A : 0)$, il s'ensuit que si $A \neq 0$, il existe un autre élément invariant par G.

COROLLAIRE 2 - <u>Le radical de</u> $Z_p(G)$ <u>est égal à l'idéal</u> I <u>engendré par les éléments de type</u> $(\sigma-1)$ <u>sur</u> Z_p.

<u>Démonstration</u>: On remarquera que tout module simple A sur $Z_p(G)$ est fini d'ordre une puissance de p, et donc de type $\mathbf{Z}/p\mathbf{Z}$ avec action triviale. Il est donc annulé par I qui est contenu dans le radical. L'inclusion réciproque est triviale, puisque $Z_p(G)/I \approx \mathbf{Z}/p\mathbf{Z}$.

COROLLAIRE 1 - <u>Tout module de</u> p-<u>torsion simple d'un</u> p-<u>groupe</u> G <u>est isomorphe à</u> $\mathbf{Z}/p\mathbf{Z}$ <u>avec action triviale</u>.

<u>Démonstration</u>: évidente.

PROPOSITION 2 - <u>Soit</u> G <u>un</u> p-<u>groupe</u>, <u>et</u> A <u>un</u> $Z_p(G)$-<u>module</u>. <u>Les conditions suivantes sont équivalentes</u>.

1.) $H^i(G,A) = 0$ <u>pour une valeur de</u> i, $-\infty < i < \infty$.

2.) A <u>est</u> <u>G-régulier</u>.

3.) A <u>est</u> <u>G-libre</u>.

<u>Démonstration</u>: Comme Z_p est un corps, tout module sur Z_p est libre dans la catégorie $\mathrm{Mod}(Z_p)$. D'après un résultat antérieur, s'il est en outre G-régulier, il est G-libre. Il suffit donc de montrer l'équivalence entre 1.) et 3.).

Soit $I = I_p$ l'idéal d'augmentation de $Z_p(G)$, alors A/IA est un espace vectoriel sur Z_p. Soit (a_i) une base, ou plutôt les représentants d'une base dans A, de sorte que A est engendré sur $Z_p(G)$ par les a_i et IA. Soit P le module $Z_p(G)$-libre sur des générateurs α_i. On a un G-morphisme défini par l'application $\alpha_i \mapsto a_i$. Soit B l'image de P dans A, de sorte que $A = B + IA$. Comme I est nilpotent, $I^n = 0$ pour n convenable, on trouve

$$A = B + IA = B + IB + I^2A = \dots = B + IB + \dots + I^nA = B$$

par itération. Donc notre application $P \to A$ est surjective. Soit A' son noyau. On a

$$P/IP \approx A/IA$$

et $M \subset IP$. Donc $S_G M = 0$. Comme la suite est exacte:

$$0 \to M \to P \to A \to 0$$

et P est G-régulier, on trouve $H^r(G,A) = H^{r+1}(G,M)$ pour tout r.

Supposons que le i dans l'hypothèse soit égal à -2. Alors $H^{-1}(G,M) = 0$, donc $M_S = \mathbb{I}M$. Comme $M = M_S$, on trouve $M = \mathbb{I}M$ et donc $M = 0$, et $P \approx A$.

Si $i \neq -2$, on sait par dimension shifting qu'il existe un G-module C tel que $H^r(U,C) \approx H^{r+n}(U,A)$ pour tout r et tout sous-groupe U de G, et tel que $H^{-2}(G,C) = 0$. On trouve alors que C est $Z_p(G)$-libre, donc cohomologiquement trivial, et donc de même pour A, de sorte qu'en particulier, $H^{-2}(G,A) = 0$. C.Q.F.D.

PROPOSITION 3 - <u>Soit</u> G <u>un</u> p-<u>groupe</u>, $A \in Mod(G)$, <u>et supposons qu'il existe un entier</u> i <u>tel que</u> $H^i(G,A) = H^{i+1}(G,A) = 0$. <u>Supposons en outre que</u> A <u>soit</u> $\mathbf{Z}$-libre. <u>Alors</u> A <u>est</u> G-<u>régulier</u>.

<u>Démonstration</u>: On a la suite exacte:

$$0 \to A \xrightarrow{p} A \to A/pA \to 0$$

et donc

$$0 = H^i(A) \to H^i(A/pA) \to H^{i+1}(A) = 0,$$

le foncteur H étant le foncteur H_G. Donc $H^i(A/pA) = 0$. Comme A/pA est un $Z_p(G)$-module, on déduit de la proposition précédente que A/pA est $Z_p(G)$-libre, et donc G-régulier.

Comme on a supposé A $\mathbf{Z}$-libre, on voit immédiatement que la suite:

$$0 \to Hom_{\mathbf{Z}}(A,A) \xrightarrow{p} Hom_{\mathbf{Z}}(A,A) \to Hom_{\mathbf{Z}}(A,A/pA) \to 0$$

est exacte. Mais $Hom_Z(A, A/pA)$ est G-régulier, donc

$$p = p_* : H^i(Hom_Z(A,A)) \to H^i(Hom_Z(A,A))$$

est un automorphisme. Il en est de même de $p_*^n = p^n = (G:1)$. Mais on sait que $(G:1)_* = 0$, d'où ces groupes de cohomologie sont nuls, et ce pour tout i, de $-\infty$ à $+\infty$. En particulier, $H^0((Hom_Z(A,A)) = 0$ et si l'on explicite ce groupe, on voit par définition que l'identité de A est une trace, i.e. A est G-régulier.

COROLLAIRE - _Soit_ A _comme dans la proposition_. _Alors_ A _est projectif dans_ $Mod(G)$.

Démonstration: C'est une conséquence immédiate d'un résultat du chap. I.

THEOREME 1 (_dit des jumeaux_) - _Soit_ G _un groupe fini_. _Un objet_ $A \in Mod(G)$ _est cohomologiquement trivial_, i.e. $H^r(U,A) = 0$ _pour tout sous-groupe_ U _de_ G _et tout_ r _si et seulement si pour chaque_ p _divisant_ $(G:1)$, _il existe un entier_ i_p _tel que_

$$H^{i_p}(G_p,A) = H^{i_p+1}(G_p,A) = 0$$

pour un groupe de Sylow G_p _de_ G.

Démonstration: Soit $P \in Z(G)$ libre tel que la suite:

$$0 \to M \to P \to A \to 0$$

soit exacte. Alors:

$$H^{i_p+1}(G_p,M) = H^{i_p+2}(G_p,M) = 0.$$

M est Z-libre, donc G_p-régulier. Donc pour tout sous-groupe G'_p de G_p on a $H^i(G'_p,A) = 0$ pour tout i.
Comme on a une injection:

$$0 \to H^i(G',A) \to \prod_p H^i(G'_p,A)$$

pour tout sous-groupe G' de G, on trouve bien que A est cohomologiquement trivial. La réciproque est évidente.

COROLLAIRE 1 - <u>Soit</u> G <u>fini</u>, <u>et</u> $A \in Mod(G)$. Alors A <u>est cohomologiquement trivial si et seulement si la dimension projective de</u> A <u>est</u> $\leqq 2$, <u>et si et seulement si la dimension projective est finie</u>.

<u>Démonstration</u>: Rappelons que A est de dimension projective $\leqq s < \infty$ si on peut trouver une suite exacte:

$$0 \to P_1 \to P_2 \to \dots \to P_s \to A \to 0$$

les P_i étant des projectifs. Comme on peut compléter cette suite en introduisant les noyaux et conoyaux: (les arches étant exactes)

$$\begin{array}{ccccccccccc} & & & P_2 & & & & P_3 & & & \\ & & \nearrow & & \searrow & & \nearrow & & \searrow & & \nearrow \\ & P_1 & & & & X_2 & & & & X_3 & & \dots \\ \nearrow & & & & \nearrow & & \searrow & & \nearrow & & \searrow \\ 0 & & & 0 & & & & 0 & 0 & & & 0 \end{array}$$

on voit que

$$H^r(G',A) = H^{r+1}(G',X_{s-1}) = \cdots = H^{r+s-1}(G',P_1) = 0.$$

l est clair qu'un G-module de dimension projective finie
st cohomologiquement trivial.

Réciproquement, écrivons une suite exacte:

$$0 \to M \to P \to A \to 0$$

ì P est $\mathbf{Z}(G)$-libre. Alors M est $\mathbf{Z}$-libre, et d'a-
rès la proposition 3, est G_p-régulier pour tout p. On
le lemme suivant:

EMME - Si M est G_p-régulier pour tout p, il est
-régulier.

émonstration: On regarde $H^0(G,Hom_{\mathbf{Z}}(M,M))$ injecté dans
e produit des $H^0(G_p,Hom_{\mathbf{Z}}(M,M))$ et on applique la défi-
ition. On peut donc conclure que M est G-régulier.
omme il est Z-libre, il est $\mathbf{Z}(G)$-projectif d'après le
orollaire de la proposition 3, et par conséquent la
imension projective de A est $\leqq 2$.

OROLLAIRE 2 - Soit A cohomologiquement trivial, et M
ans torsion. Alors $A \otimes M$ est cohomologiquement trivial.

émonstration: On a une suite exacte:

$$0 \to P_1 \to P_2 \to A \to 0$$

ı les P_1, P_2 sont projectifs dans Mod(G). Comme M
st sans torsion, la suite

$$0 \rightarrow P_1 \otimes M \rightarrow P_2 \otimes M \rightarrow A \otimes M \rightarrow 0$$

est exacte. Mais P_1, P_2 sont G-réguliers (facteurs directs libres, et donc réguliers), d'où $P_i \otimes M$ est cohomologiquement trivial pour $i = 1, 2$, d'où $A \otimes M$.

Plus généralement, on a le résultat suivant qui ne sera pas employé dans la suite.

Supposons A cohomologiquement trivial, et une suite exacte:

$$0 \rightarrow P_1 \rightarrow P_2 \rightarrow A \rightarrow 0$$

avec P_1, P_2 projectifs. On a alors une suite exacte

$$\mathrm{Tor}^1(P_2,M) \rightarrow \mathrm{Tor}^1(A,M) \rightarrow P_1 \otimes M \rightarrow P_2 \otimes M \rightarrow A \otimes M \rightarrow 0$$

pour M quelconque. De plus, $\mathrm{Tor}^1(P_2,M) = 0$ puisque P_2 est sans torsion, $\mathbf{Z}(G)$ étant projectif et donc $\mathbf{Z}$-libre. Par une dimension shifting, et un raisonnement analogue pour Hom, on trouve:

THEOREME 2 - <u>Soit</u> G <u>fini</u>, A,B Mod(G) <u>et supposons que</u> A <u>ou</u> B <u>soit cohomologiquement trivial</u>. <u>Alors pour tout</u> r <u>et tout sous-groupe</u> G' <u>de</u> G, <u>on a</u>:

$$\mathbf{H}^r(G',A \otimes B) \approx \mathbf{H}^{r+2}(G', \mathrm{Tor}^1_Z(A,B))$$

$$\mathbf{H}^r(G',\mathrm{Hom}(A,B)) \approx \mathbf{H}^{r-2}(G', \mathrm{Ext}^1_{\mathbf{Z}}(A,B)).$$

COROLLAIRE 1 - <u>Soient</u> G, A, B <u>comme ci-dessus</u>. <u>Alors</u> $A \otimes B$ <u>est cohomologiquement trivial si et seulement si</u>

$\mathrm{r}_1^{\mathbf{Z}}(A,B)$ l'est, et Hom(A,B) est cohomologiquement ivial si et seulement si $\mathrm{Ext}_{\mathbf{Z}}^1(A,B)$ l'est.

ROLLAIRE 2 - Soient G, A, B comme ci-dessus. Alors $\otimes$B est cohomologiquement trivial si A ou B est ns p-torsion pour tout p divisant (G : 1).

Le Théorème des Triplets

Soit G un groupe et $f : A \to B$ un morphisme ns Mod(G). Soient $f_r : H^r(U,A) \to H^r(U,B)$ les homorphismes induits dans les groupes de cohomologie. On ra que A et B sont cohomologiquement équivalents r rapport à f si f_r est un isomorphisme pour tout r tout sous-groupe U de G.

IEOREME 3 - Soit $f : A \to B$ un morphisme dans Mod(G), supposons qu'il existe un entier r tel que f_{r-1} it surjectif, f_r soit un isomorphisme, et f_{r+1} soit jectif, pour tout sous-groupe U de G. Alors f_n est isomorphisme pour tout sous-groupe U de G, et tout tier n.

monstration: Supposons d'abord que f soit injectif. us nous réduirons à ce cas ensuite. On a donc une suite acte:

$$0 \to A \xrightarrow{f} B \xrightarrow{g} C \to 0$$

ec $C = B/fA$, et la suite exacte de cohomologie

$$\begin{array}{ccccccc} H^{r-1}(U,A) & \xrightarrow{f_{r-1}} & H^{r-1}(U,B) & \xrightarrow{g_{r-1}} & H^{r-1}(U,C) & & \\ & & \delta_{r-1} & & & & \\ H^{r}(U,A) & \xrightarrow{f_r} & H^{r}(U,B) & \xrightarrow{g_r} & H^{r}(U,C) & \xrightarrow{\delta_r} & H^{r+1}(U,A) \\ & & & & & f_{r+1} \swarrow & \\ & & & & H^{r+1}(U,B) & & \end{array}$$

On va voir que $H^{r-1}(U,C) = H^r(U,C) = 0$. Pour le premier, cela provient du fait que f_{r-1} surjectif implique $g_{r-1} = 0$, et f_r un isomorphisme implique $\delta_{r-1} = 0$. Pour le second, cela provient du fait que f_r surjectif implique $g_r = 0$, et que f_{r+1} injectif implique $\delta_r = 0$. D'après le théorème des jumeaux, on en déduit que $H^n(U,C) = 0$ pour tout n, d'où le fait que f_n est un isomorphisme pour tout n.

Nous allons maintenant réduire le théorème au cas précédent, par une astuce analogue au mapping cylinder en topologie. Pour abréger, posons $M_G(A) = \bar{A}$ et $\varepsilon_A = \varepsilon$. On a une injection

$$\varepsilon : A \to \bar{A} .$$

Plongeons A dans la somme directe $B \oplus \bar{A}$ par l'application

$$\bar{f} : A \to B + \bar{A}$$

telle que $\bar{f}(a) = f(a) + \varepsilon(a)$. On voit immédiatement que $\bar{f}$ est un morphisme dans $Mod(G)$. On a une suite exacte:

$$0 \to A \xrightarrow{\bar{f}} B+\bar{A} \xrightarrow{j} C \to 0$$

ec le conoyau C de $\bar{f}$.

On a aussi le morphisme de projection:

$$p : B \oplus \bar{A} \to B$$

fini par la formule $p(b+\bar{a}) = b$. Son noyau est précisé-
nt $\bar{A}$, et on a $f = p\bar{f}$, d'où le diagramme suivant:

$$\begin{array}{ccccccc} & & & 0 & & & \\ & & & \downarrow & & & \\ 0 \to & A & \xrightarrow{\bar{f}} & B+\bar{A} & \to & C & \to 0 \\ & & \searrow^{f} & \downarrow p & & & \\ & & & B & & & \\ & & & \downarrow & & & \\ & & & 0 & & & \end{array}$$

On obtient un diagramme:

$$\begin{array}{ccccc} & & H^r(\bar{A}) = 0 & & \\ & & \downarrow & & \\ {}^{-1}(C) \to H^r(A) & \xrightarrow{f_r} & H^r(B+\bar{A}) & \xrightarrow{j_r} & H^r(C) \to H^{r+1}(A) \\ & \searrow^{f_r} & \downarrow p_r & \swarrow_{g_r} & \\ & & H^r(B) & & \\ & & \downarrow & & \\ & & H^{r+1}(\bar{A}) = 0 & & \end{array}$$

s groupes de cohomologie étant pris pour n'importe quel
us-groupe U de G, et les triangles étant commutatifs.

Les extrémités verticales sont 0 d'après les pro-
iétés de $\bar{A} = M_G(A)$, et par conséquent p_r est un iso-

morphisme, qui a donc un inverse p_r^{-1}. On a posé

$g_r = j_r p_r^{-1}$.

D'après la formule $f = p\bar{f}$, on obtient $f_r = p_r\bar{f}_r$.

On peut donc remplacer $H^r(B+\bar{A})$ par $H^r(B)$ dans la suite horizontale, et on obtient une suite exacte identique à celle de la première partie de la démonstration. Nous avons donc bien ramené notre théorème à cette partie, ce qui termine la démonstration.

3. Splitting Module et le Théorème de Tate

Le deuxième groupe de cohomologie joue en bien des cas un rôle particulièrement important. Nous allons décrire ici une méthode pour tuer un cocycle de dimension 2.

Soit encore G fini, d'ordre n, et $\alpha \in H^2(G,A)$. Rappelons qu'on a une suite exacte splitting sur $\mathbf{Z}$

$$0 \to I_G \to \mathbf{Z}(G) \to \mathbf{Z} \to 0$$

qui induit un isomorphisme

$$\delta : H^s(G,\mathbf{Z}) \to H^{s+1}(G,I_G) \qquad \text{pour tout } s.$$

THEOREME 4 - *Soit* G *un groupe fini*, $A \in \mathrm{Mod}(G)$, $\alpha \in H^2(G,A)$. *Il existe un module* $A' \in \mathrm{Mod}(G)$ *et une suite exacte splittant sur* $\mathbf{Z}$

$$0 \to A \xrightarrow{u} A' \to I_G \to 0$$

telle que $\alpha = \delta\delta\zeta$, *où* ζ *désigne le générateur dans*

$H^0(\mathbf{Z})$ *correspondant à la classe de* 1 *dans* $H^0(G,\mathbf{Z}) = \mathbf{Z}/n\mathbf{Z}$, *et* $u_*\alpha = 0$, i.e. α *splitte dans* A'.

Démonstration: On définit A' comme étant la somme directe de A et d'un groupe abélien libre sur des générateurs $x_\sigma (\sigma \in G, \sigma \neq 1)$. On définit l'opération de G sur A' au moyen d'un cocycle $a_{\sigma,\tau}$ représentant α, posant $x_1 = a_{1,1}$ pour la convenance, par la formule

$$\sigma x_\tau = x_{\sigma\tau} - x_\sigma + a_{\sigma,\tau} .$$

On vérifie que cette définition est consistante en utilisant la relation de cobord satisfaite par le cocycle $a_{\sigma,\tau}$, à savoir

$$\lambda a_{\sigma,\tau} - a_{\lambda\sigma,\tau} + a_{\lambda,\sigma\tau} - a_{\sigma,\tau} = 0 .$$

On voit alors trivialement que α splitte dans A' : $(a_{\sigma,\tau})$ est le cobord de la cochaine (x_σ).

On définit un morphisme $\phi : A' \to I_G$ par

$$\phi(a) = 0 \text{ si } a \in A \qquad \text{et} \quad \phi(x_\sigma) = \sigma - 1,\ \sigma \neq 1.$$

C'est un G-morphisme en vertu de la définition de l'opération de G sur A'. Il est évidemment surjectif, et son noyau est égal à A.

Reste à voir qu'on a bien $\alpha = \delta\delta\zeta$. On sait (trivialement) que $\delta\zeta$ est représenté par un 1-cocycle $b_\sigma = \sigma - 1 \in I_G$, représentant un élément β de $H^1(G, I_G)$. On trouve $\delta\beta$ en prenant une cochaine de G dans A', par exemple (x_σ), qui est telle que $\phi(x_\sigma) = b_\sigma$. Le cobord de (x_σ) représente alors $\delta\beta$, et l'on voit que cela nous donne bien α. C.Q.F.D.

On dira que $A \in Mod(G)$ est un <u>class-module</u> si pour tout sous-groupe U de G, $H^1(U,A) = 0$, et si $H^2(G,A)$ est cyclique d'ordre n = ordre de G, engendré par un élément α, tel que $res_U^G(\alpha)$ engendre $H^2(U,A)$ et soit d'ordre $(U : 1)$. Un tel α sera dit <u>fondamental</u>.

THEOREME 5 - <u>Soient</u> G, A, α <u>et</u> $u : A \to A'$ <u>comme dans le théorème précédent. Alors</u> A <u>est un class-module et</u> α <u>fondamental si et seulement si</u> A' <u>est cohomologiquement trivial</u>.

<u>Démonstration</u>: Supposons que A soit un class-module et α fondamental. On a la suite exacte pour tout sous-groupe U de G:

$$0 = H^1(A) \to H^1(A') \to H^1(I) \to H^2(A) \to H^2(A') \to 0$$

Le 0 terminal provient du fait que $H^2(I_G) = H^1(\mathbf{Z}) = 0$. Comme l'on a : $\alpha = \delta\beta$ et $\beta = \delta\zeta$, que $H^1(I)$ est cyclique d'ordre $(U : 1)$ engendré par β, il s'ensuit que

$$H^1(I) \to H^2(A)$$

est un isomorphisme. On en conclut que $H^1(U,A') = 0$ pour tout U.

Comme l'on a aussi la suite exacte pour tout U:

$$H^2(A) \to H^2(A') \to H^2(I) = 0$$

et que A' splitte α, on en conclut que $H^2(U,A') = 0$

pour tout U. Donc A' est cohomologiquement trivial par le théorème des jumeaux.

Réciproquement, supposons A' cohomologiquement trivial. On a alors un isomorphisme:

$$H^1(I) \xrightarrow{\delta} H^2(A)$$

et un isomorphisme

$$H^o(Z) \xrightarrow{\delta} H^1(I) ,$$

de nouveau pour tout sous-groupe U. Cela montre que $H^2(U,A)$ est bien cyclique d'ordre (U : 1), engendré par $\delta\delta\zeta$, et termine notre démonstration.

CHAPITRE IV

CUP PRODUITS

1. Effaçabilité et Unicité

Pour bien traiter des cup produits, on a besoin de définir la notion de catégorie multilinéaire.

Soit $\mathfrak{A}$ une catégorie abélienne. On dira qu'on s'est donné sur $\mathfrak{A}$ une structure de catégorie multilinéaire si, pour chaque $(n+1)$-tuple $A_1,\ldots,A_n,B$ de $\mathfrak{A}$ on s'est donné un groupe abélien $L(A_1,\ldots,A_n,B)$ satisfaisant aux conditions suivantes:

MUL 1. Si $n = 1$, alors $L(A,B)$ est le groupe des morphismes de A dans B.

MUL 2. Si $f_1 : A_{11} \times \ldots \times A_{1n_1} \to B_1$,

$$\ldots$$

$$f_r : A_{r1} \times \ldots \times A_{rn_r} \to B_r$$

et $g: B_1 \times \ldots \times B_r \to C$ sont des applications multilinéaires, alors on peut composer $g(f_1,\ldots,f_r)$ dans $L(A_{11},\ldots,A_{rn_r},C)$, et cette composition est multilinéaire en g, $f_1,\ldots,f_r$.

MUL 3. Avec les mêmes notations, on a $g(1,\ldots,1) = g$.

MUL 4. La composition est associative, c'est-à-dire qu'on a:

$$g(f_1(h\ldots),f_2(h\ldots),\ldots,f_r(h\ldots)) = g(f_1,\ldots,f_r)(h),$$

avec des notations évidentes.

Exemple: Soit G un groupe. Alors $Mod(G)$ est une catégorie multilinéaire, $L(A_1,\ldots,A_n,B)$ étant constitué par les applications multilinéaires θ (au sens habituel), telles que:

$$\theta(\sigma a_1,\ldots,\sigma a_n) = \sigma\theta(a_1,\ldots,a_n)$$

pour tout $\sigma \in G$, et $a_i \in A_i$.

On étend de façon évidente la notion de foncteur aux catégories multilinéaires. Explicitement, un foncteur $T\colon \mathfrak{A} \to \mathfrak{B}$ d'une telle catégorie dans une autre est constitué par la donnée d'une application $T\colon f \to T(f) = f_*$, qui à chaque application multilinéaire dans $\mathfrak{A}$ associe une autre dans $\mathfrak{B}$, satisfaisant à la condition suivante: Si

$$f_1\colon A_1 \times \ldots \times A_{n_1} \to B_1$$

$$\ldots$$

$$f_p : A_{n_{p-1}} \times \dots \times A_{n_p} \to B_p$$

$$g : B_1 \times \dots \times B_p \to C$$

sont multilinéaires dans $\mathfrak{A}$, alors on peut composer $g(f_1,\dots,f_p)$ et $Tg(Tf_1,\dots,Tf_p)$, et l'on doit avoir

$$T(g(f_1,\dots,f_p)) = Tg(Tf_1,\dots,Tf_p)$$

$$T(1) = 1.$$

On pourrait définir la notion de produit tensoriel dans une catégorie abélienne multilinéaire : C'est un bi-foncteur, bilinéaire, sur $\mathfrak{A} \times \mathfrak{A}$, satisfaisant la propriété d'application universelle évidente.

On notera aussi que les catégories multilinéaires que nous considérerons seront fermées par l'opération de produit tensoriel i.e. si $A, B \in \mathfrak{A}$ alors $A \otimes B \in \mathfrak{A}$, et le factorisant linéaire d'une application multilinéaire est dans $\mathfrak{A}$.

Soient maintenant $E_1 = (E_1^{p_1}), \dots, E_n = (E_n^{p_n})$ et $H = (H^r)$ $n+1$ δ-foncteurs sur la catégorie abélienne $\mathfrak{A}$, qu'on supposera aussi multilinéaire et à valeur dans une même catégorie abélienne multilinéaire $\mathfrak{B}$. On supposera que pour chaque valeur de $p_1,\dots,p_n$ susceptibles d'être prises par $E_1,\dots,E_n$ respectiv ement, $p_1+\dots+p_n$ est parmi les r. On dira qu'on a défini une opération de <u>cup</u>, ou simplement un <u>cupping</u> de $E_1,\dots,E_n$ dans H si pour chaque application multilinéaire $\theta \in L(A_1,\dots,A_n,B)$ on s'est associé une application:

$$\theta_p = \theta_* = \theta_{p_1,\ldots,p_n} : E_1^{p_1}(A_1)\times\ldots\times E_n^{p_n}(A_n) \rightarrow H^p(B)$$

où $p = p_1 + \ldots + p_n$ satisfaisant aux conditions suivantes:

(C1) Si on a deux suites exactes:

$$0 \rightarrow A_i' \rightarrow A_i \rightarrow A_i'' \rightarrow 0$$

$$0 \rightarrow B' \rightarrow B \rightarrow B'' \rightarrow 0$$

et trois applications multilinéaires f', f, f'' dans $\mathfrak{A}$ telles que le diagramme suivant soit commutatif:

$$\begin{array}{ccccc} A_1\times\ldots\times A_i'\times\ldots\times A_n & \rightarrow & A_1\times\ldots\times A_i\times\ldots\times A_n & \rightarrow & A_1\times\ldots\times A_i''\times\ldots\times A_n \\ f' \downarrow & & f \downarrow & & f'' \downarrow \\ B' & \longrightarrow & B & \longrightarrow & B'' \end{array}$$

alors le diagramme:

$$\begin{array}{ccc} E_1^{p_1}(A_1)\times\ldots\times E_i^{p_i}(A_i'')\times\ldots\times E_n^{p_n}(A_n) & \xrightarrow{f''_*} & H^p(B'') \\ 1 \downarrow \qquad \downarrow \delta \qquad \downarrow 1 & & \downarrow \delta \\ E_1^{p_1}(A_1)\times\ldots\times E_i^{p_i+1}(A_i')\times\ldots\times E_n^{p_n}(A_n) & \xrightarrow[f'_*]{} & H^{p+1}(B') \end{array}$$

est de caractère $(-1)^{p_1+\ldots+p_{i-1}}$, c'est-à-dire que

$$f'_*(1,\ldots,\delta,\ldots,1) = (-1)^{p_1+\ldots+p_{i-1}} \delta \circ f''_* .$$

(C 2) La fonction $\theta \mapsto \theta_p$ est un foncteur de la catégorie multilinéaire $\mathfrak{A}$ dans $\mathfrak{B}$ pour chaque valeur de $p = (p_1,\ldots,p_n)$.

L'accumulation d'indices est inévitable si l'on veut tenir compte de toutes les éventualités. Mais dans la pratique on aura surtout à s'occuper des deux cas suivants:

D'abord, soit H un foncteur cohomologique. Pour chaque $n \geqq 1$, on suppose donné un cupping:

$$H\times\ldots\times H \rightarrow H$$

(le produit étant pris n fois) tel que pour $n = 1$ on ait l'identité. Alors on dira que H est un cup <u>foncteur cohomologique</u>.

Ensuite, au cas où l'on n'a que deux facteurs, donc un cupping

$$E \times F \rightarrow H$$

de deux δ-foncteurs dans un autre. On fera le plus souvent des abus de notations pour désigner les applications induites, omettant les indices de degrés, et les remplaçant par un *.

Si $\mathfrak{A}$ est fermée sous l'opération de produits tensoriels, alors en vertu de C 2.) un cup foncteur cohomologique est entièrement déterminé par sa valeur sur les applications canoniques $A\times B \rightarrow A\otimes B$. En effet, si $f : A\times B \rightarrow C$ est multilinéaire, on peut factoriser f de la façon suivante:

$$A\ B \xrightarrow{\theta} A\otimes B \xrightarrow{\phi} C$$

θ étant multilinéaire dans $\mathfrak{A}$, et ϕ étant un morphisme dans $\mathfrak{A}$. Certains théorèmes se ramèneront donc à l'étude du cup sur les produits tensoriels.

Soient $E = (E^p)$ et $F = (F^q)$ deux δ-foncteurs, avec un cupping dans le δ-foncteur $H = (H^r)$.

Si l'on se donne une application bilinéaire

$$A \times B \rightarrow C$$

et deux suites exactes

$$0 \rightarrow A' \rightarrow A \rightarrow A'' \rightarrow 0$$

$$0 \rightarrow C' \rightarrow C \rightarrow C'' \rightarrow 0$$

telles que $A \times B \rightarrow C$ induisent des applications bilinéaire

$$A' \times B \rightarrow C' \quad \text{et} \quad A'' \times B \rightarrow C''$$

alors on peut écrire un diagramme commutatif

$$\begin{array}{ccccc} E^p(A'') & \times & F^q(B) & \longrightarrow & H^{p+q}(C'') \\ \downarrow & & \downarrow & & \downarrow \delta \\ E^{p+1}(A') & \times & F^q(B) & \longrightarrow & H^{p+q+1}(C') \end{array}$$

et donc la formule

$$\delta(\alpha''\beta) = (\delta\alpha'')\beta$$

avec $\alpha'' \in E^p(A'')$, $\beta \in F^q(B)$.

PROPOSITION 1 - <u>Soit</u> H <u>un cup foncteur cohomologique sur une catégorie multilinéaire</u> $\mathfrak{A}$. <u>Alors le produit</u> $(-1)^{pq}\beta\alpha$ <u>pour</u> $\alpha \in H^p(A)$, $\beta \in H^q(B)$ <u>définit aussi un cupping</u> $H \times H \rightarrow H$, <u>qui fait de</u> H <u>un autre cup foncteur</u>

cohomologique, coincidant avec le premier en dimension 0.

Démonstration: Evidente.

Remarque: Comme nous démontrerons un théorème d'unicité plus bas, la proposition précédente montrera que l'on a dans ce cas

$$\alpha\beta = (-1)^{pq} \beta\alpha .$$

Nous considérons maintenant la question de l'unicité d'un cupping. Elle sera appliquée à l'unicité d'un cupping d'un foncteur cohomologique H qui sera donné en une dimension. De façon précise, soit H un cup foncteur cohomologique sur une catégorie multilinéaire $\mathfrak{A}$. Lorsqu'on parlera du cup foncteur en dimension 0, on voudra dire le cupping

$$H^o \times H^o \times \ldots \times H^o \longrightarrow H^o$$

qui à toute application multilinéaire $\theta : A_1 \times \ldots \times A_n \to B$ associe l'application multilinéaire

$$\theta_o : H^o(A_1) \times \ldots \times H^o(A_n) \to H^o(B).$$

Remarquons d'ailleurs que pour démontrer un théorème d'unicité, nous n'aurons jamais besoin que de deux facteurs, en vertu du fait qu'un cupping de plusieurs foncteurs pourra s'ex primer à partir d'un cupping de deux, et de l'associativité.

THEOREME 1 - Soit $\mathfrak{A}$ une catégorie multilinéaire, E = (E^o, E^1) et H = (H^o, H^1) deux δ-foncteurs exacts, et F un foncteur de $\mathfrak{A}$ dans une catégorie multilinéaire

$\mathfrak{B}$. _Supposons que_ E^1 _soit effaçable par_ (M,ε), _que_ $\mathfrak{A}$, $\mathfrak{B}$ _soient fermées par produits tensoriels, et que pour tout_ $A, B \in \mathfrak{A}$ _la suite_:

$$0 \to A \otimes B \xrightarrow{\varepsilon_A \otimes 1} M_A \otimes B \to X_A \otimes B \to 0$$

soit exacte. Supposons donné un cupping $E \times F \to H$. _Alors on a un diagramme commutatif._

$$\begin{array}{ccc} E^0(X_A) \times F(B) & \longrightarrow & H^0(A \otimes B) \\ \delta' \downarrow \quad\quad \downarrow 1 & & \downarrow \delta \\ E^1(A) \times F(B) & \longrightarrow & H^1(A \otimes B) \end{array}$$

_et le_ δ _de gauche est surjectif._

Démonstration: Evidente.

COROLLAIRE - _Les hypothèses étant celles du théorème, si on se donne deux cuppings_ $E \times F \to H$ _qui coincident en dimension_ 0, _alors ils coincident en dimension_ 1.

Démonstration: Pour tout $\alpha \in E^1(A)$ il existe $\xi \in E^0(X_A)$ tel que $\alpha = \delta\xi$, et on a par hypothèse, pour $\beta \in F(B)$,

$$\alpha\beta = (\delta\xi)\beta = \delta(\xi\beta)$$

d'où le corollaire.

THEOREME 2 - _Soit_ G _un groupe et_ H _le foncteur cohomologique_ H_G _du chapitre_ I, _tel que_ $H^0(A) = A^G$. _Alors un cupping_ $H \times H \to H$ _tel que en dimension_ 0, _il soit induit par l'application bilinéaire_ $(a,b) \mapsto \theta(a,b)$ _pour un_

$\theta : A\times B \to C$ <u>et</u> a A^G, $b\in B^G$ <u>est uniquement déterminé</u> <u>par cette condition</u>.

<u>Démonstration</u>: Nous avons démontré au chapitre I l'existence de l'effacement nécessaire à cette unicité.

Le foncteur cohomologique H_G sera toujours considéré muni de sa structure de cup foncteur telle qu'on vient de la définir dans le théorème précédent. Son existence sera démontrée au numéro suivant.

Dans la catégorie Mod(G) où G est un groupe fini, on a un théorème d'effacement plus fort qu'en général, et qu'on va décrire.

Soient $E = (E^p)$ et $F = (F^q)$ deux δ-foncteurs exacts et $H = (H^r)$ un troisième δ-foncteur exact sur une catégorie multilinéaire $\mathfrak{A}$. On suppose donné un cupping $E\times F \to H$. Soit comme dans le chapitre I, M un foncteur d'effaçabilité à droite pour E en dimension p_o. On dira que M est <u>spécial</u> si pour chaque application bilinéaire

$$\theta : A\times B \to C$$

dans $\mathfrak{A}$, il existe des applications bilinéaires

$$M(\theta) : M_A\times B \to M_C \quad \text{et} \quad X(\theta) : X_A\times B \to X_C$$

telles que le diagramme suivant soit commutatif:

$$\begin{array}{ccccc} A\times B & \longrightarrow & M_A\times B & \longrightarrow & X_A\times B \\ \downarrow{\scriptstyle\theta} & & \downarrow{\scriptstyle M(\theta)} & & \downarrow{\scriptstyle X(\theta)} \\ C & \longrightarrow & M_C & \longrightarrow & X_C \end{array}$$

THEOREME 3R - Soient $E = (E^p)$, $F = (F^q)$ et $H = (H^r)$ trois δ-foncteurs exacts sur une catégorie multilinéaire $\mathfrak{A}$, et supposons donné un cupping $E \times F \to H$. Soit M un foncteur d'effaçabilité spécial à droite pour E et pour H en toutes dimensions. Alors on a un diagramme commutatif pour chaque application bilinéaire $\theta : A \times B \to C$,

$$\begin{array}{ccccc} E^p(X_A) & \times & F^q(B) & \to & H^{p+q}(X_C) \\ \delta \downarrow & & \downarrow 1 & & \downarrow \delta \\ E^{p+1}(A) & \times & F^q(B) & \to & H^{p+q+1}(C) \end{array}$$

et les applications verticales sont des isomorphismes.

Démonstration: Evidente.

Nous pouvons bien entendu travailler aussi à gauche. Si M est un foncteur d'effaçabilité à gauche pour E en dimension $< p_o$, on dira que M est spécial si pour chaque θ il existe des applications bilinéaires $M(\theta)$ et $Y(\theta)$ dans le diagramme suivant:

$$\begin{array}{ccccc} Y_A \times B & \longrightarrow & M_A \times B & \longrightarrow & A \times B \\ Y(\theta) \Big\downarrow & & M(\theta) \Big\downarrow & & \theta \Big\downarrow \\ Y_C & \longrightarrow & M_C & \longrightarrow & C \end{array}$$

qui le rendent commutatif. On a alors:

THEOREME 3L - Soient E, F, H trois δ-foncteurs exacts sur une catégorie multilinéaire $\mathfrak{A}$, et supposons donné un cupping $E \times F \to H$. Soit M un foncteur d'effaçabilité à gauche pour E et H en toutes dimensions qui soit spécial. Alors on a un diagramme commutatif pour chaque pplication bilinéaire $\theta : A \times B \to C$:

$$\begin{array}{ccc} E^{p}(A) \times F^{q}(B) & \to & H^{p+q}(C) \\ \delta \downarrow \quad \downarrow 1 & & \downarrow \delta \\ E^{p+q+1}(Y_A) \times F^{q}(B) & \to & H^{p+q+1}(Y_C) \end{array}$$

t les applications verticales sont des isomorphismes.

OROLLAIRE 1 - Soient E, F, H comme dans les théorèmes récédents, avec les valeurs $p = 0,1$ (resp. $0, -1$) $q = 0$, $= 0,1$ (resp. $0, -1$). Soit M un foncteur d'effaçabilité pécial à droite (resp. à gauche) pour E et H. Supposons donnés deux cuppings $E \times F \to H$ qui coincident en diension 0. Alors ils coincident en dimension 1 (resp. -1).

On remarquera que le choix d'indices $0, 1$ ou 0, -1 est arbitraire, et s'applique mutas mutandis à p, $p+1$ ou $p, p-1$ pour E, q arbitraire pour F, et $p+q$, $p+q+1$ ou $p+q, p+q-1$ pour H.

OROLLAIRE 2 - Soit H un foncteur cohomologique sur une atégorie multilinéaire $\mathfrak{A}$, et supposons qu'il existe un oncteur d'effacement spécial de H à droite et à gauche. upposons données deux manières de faire de H un cup oncteur, qui coincident en dimension 0. Alors ces cup oincident en toutes dimensions.

ROPOSITION 2 - Soit G un groupe fini, et G' un sousroupe. Soit H le foncteur cohomologique sur $Mod(G)$ el que $H(A) = H(G',A)$. Supposons donnée en outre à H ne structure additionnelle de cup foncteur. Alors le oncteur d'effacement $A \mapsto M_G(A)$ à droite et à gauche est pécial.

Démonstration: Soit $\theta : A\times B \longrightarrow C$ bilinéaire. On a par exemple à partir de l'effacement à gauche,

$$\begin{array}{ccccc} I_G\otimes A\otimes B & \longrightarrow & \mathbf{Z}(G)\otimes A\otimes B & \longrightarrow & \mathbf{Z}\otimes A\otimes B \\ \downarrow & & & & \downarrow \\ I_G\otimes C & \longrightarrow & \mathbf{Z}(G)\otimes C & \longrightarrow & \mathbf{Z}\otimes C \end{array}$$

et les applications verticales sont définies de façon évidente, à savoir $\lambda\otimes a\otimes b \mapsto \lambda\otimes ab$. De même pour l'effacement à droite.

A partir des théorèmes généraux, on obtient donc:

THEOREME 4 - Soit G un groupe et H le foncteur cohomologique ordinaire H_G sur $\mathrm{Mod}(G)$ (ou bien spécial, H_G si G est fini). Alors pour chaque application multilinéaire $A_1\times\ldots\times A_n \to B$ dans $\mathrm{Mod}(G)$, si l'on définit

$$\kappa(a_1)\ldots\kappa(a_n) = \kappa(a_1\ldots a_n) \qquad a_i\in A_i^G$$

on obtient un foncteur multilinéaire, et un cupping

$$H^o\times\ldots\times H^o \to H^o.$$

Une structure de cup foncteur sur H qui se réduit à la précédente en dimension 0 est uniquement déterminée.

L'existence d'une structure de cup-foncteur comme dans le théorème sera démontrée au numéro suivant. Pour le reste de ce numéro, on parlera de H_G comme étant un cup foncteur comme ci-dessus.

COROLLAIRE 1 - Soit G un groupe et H le cup foncteur cohomologique ordinaire ou spécial. Soient A_1, A_2, A_3,

A_{12}, A_{123} cinq G-modules, et supposons données des applications multilinéaires dans Mod(G):

$$A_1 \times A_2 \to A_{12}, \qquad A_{12} \times A_3 \to A_{123}$$

dont le composé donne lieu à une application multilinéaire

$$A_1 \times A_2 \times A_3 \longrightarrow A_{123}.$$

Soit $\alpha_i \in H^{p_i}(A_i)$. Alors on a:

$$(\alpha_1\alpha_2)\alpha_3 = \alpha_1(\alpha_2\alpha_3),$$

les produits étant pris relativement aux applications ci-dessus.

Démonstration: On voit d'abord immédiatement qu'on peut se ramener au cas où $A_{12} = A_1 \otimes A_2$, et $A_{123} = A_1 \otimes A_2 \otimes A_3$. Les produits de droite ou de gauche satisfont alors tous deux aux axiomes d'un cup produit, et on peut appliquer l'unicité.

COROLLAIRE 2 - Soit G un groupe et H le cup foncteur cohomologique ordinaire ou spécial. Soit $\theta : A \times B \to C$ bilinéaire dans Mod(G). Soit a A^G. Alors $\theta_a : B \to C$ défini par $\theta_a(b) = ab$ est un morphisme dans Mod(G). Si:

$$H^q(\theta_a) = \theta_{a_*} : H^q(B) \to H^q(C)$$

désigne l'homomorphisme induit, on a

$$\kappa(a)\beta = \theta_{a\,*}(\beta) \qquad \beta\in H^q(B).$$

Démonstration: La première assertion est évidente du fait que $a\in A^G$ car on a $\sigma(ab) = a\sigma b$. Si $q = 0$, la seconde assertion n'est autre que la définition. Pour les autres q, on applique le théorème d'unicité aux cuppings de $H^o \times H \to H$ donnés soit par le cup produit, soit par l'homomorphisme induit.

COROLLAIRE 3 - Soit G un groupe fini, et $\theta : A\times B \to C$ bilinéaire dans Mod(G). Alors on a:

$$\kappa(a) \cup Ж(b) = Ж(ab)$$

pour $a\in A^G$, $b\in B_{S_G}$.

Démonstration: Une vérification directe montre que la formule précédente définit un cupping de H^o et (H^o, H^{-1}) dans (H^o, H^{-1}). On remarquera que sous les hypothèses faites, on a évidemment $ab\in C_{S_G}$, de sorte que la formule a un sens.

2. Existence

On verra que dans les deux cas, le cup produit sera induit par un produit de cochaines. En fait, axiomatisons cet état de choses:

THEOREME 5 - Soit $\mathfrak{A}$ une catégorie multilinéaire de groupes abéliens. Soit $A \mapsto \mathbf{C}^*(A)$ un foncteur exact de $\mathfrak{A}$ dans la catégorie de complexes de $\mathfrak{A}$. Supposons que pour chaque application bilinéaire $\theta : A\times B \to C$ dans

$\mathfrak{A}$ on se soit donné une application bilinéaire

$$\mathbf{C}^r(A)\times\mathbf{C}^s(B) \rightarrow \mathbf{C}^{r+s}(C)$$

qui soit fonctorielle en A, B, C (*covariante*) *et telle que si* $f\in\mathbf{C}^r(A)$ *et* $g\in\mathbf{C}^s(B)$, *alors*,

$$\delta(fg) = (\delta f)g + (-1)^r f(\delta g).$$

Soit H *le foncteur cohomologique associé au foncteur* $A\mapsto\mathbf{C}^*(A)$. *Alors il existe sur* H *une structure de cup foncteur, induite par l'application bilinéaire ci-dessus, et satisfaisant à la propriété des trois suites exactes, telle qu'elle est décrite dans le théorème* 6.

On propose de qualifier un cup produit qui satisfait à la propriété des trois suites exactes de *complet*. Question: Est-ce que tout cup produit dans une catégorie multilinéaire est complet?

LEMME 1 - *Soit* G *un groupe, et* $\mathbf{C}^*(G,A)$ *le complexe standard de cochaines homogènes pour* $A\in Mod(G)$. *Alors si* $A\times B \rightarrow C$ *est une application bilinéaire dans* Mod(G), *et* $f\in\mathbf{C}^r{}_*(G,A)$, $g\in\mathbf{C}^s(G,B)$ *le produit* fg *défini par la formule*:

$$(fg)(\sigma_o,\ldots,\sigma_{r+s}) = f(\sigma_o,\ldots,\sigma_r)g(\sigma_r,\ldots,\sigma_{r+s})$$

satisfait à la relation:

$$\delta(fg) = (\delta f)g + (-1)^r f(\delta g).$$

Démonstration: Straightforward.

Dans le cas du complexe standard non homogène, il faut écrire

$$fg(\sigma_1,\ldots,\sigma_{r+s}) = f(\sigma_1,\ldots,\sigma_r)(\sigma_1\ldots\sigma_r g(\sigma_{r+1},\ldots,\sigma_{r+s}))$$

THEOREME 6 - *Soit* G *un groupe, et trois suites exactes dans* $\mathrm{Mod}(G)$:

$$0 \to A' \to A \to A'' \to 0$$
$$0 \to B' \to B \to B'' \to 0$$
$$0 \to C' \to C \to C'' \to 0.$$

Supposons donnée une application bilinéaire $A\times B \to C$ *dans* $\mathrm{Mod}(G)$, *telle que*:

$$A'B' = 0, \quad AB'\subset C', \quad A'B\subset C', \quad A''B''\subset C''.$$

Soit H_G *le foncteur cohomologique ordinaire. Alors le produit du lemme induit sur* H_G *une structure de cup foncteur, et en outre si* $\alpha''\in H^r(G,A'')$ *et* $\beta''\in H^s(G,B'')$, *on a*

$$\delta(\alpha''\cup\beta'') = (\delta\alpha'')\cup\beta'' + (-1)^r\alpha''\cup(\delta\beta'').$$

Enfin, en dimension 0, *la structure de cup foncteur est donnée par*

$$\kappa(ab) = \kappa(a)\kappa(b)$$

pour $a\in A^G$ *et* $b\in B^G$.

Démonstration: La démonstration du fait que H_G devient un cup foncteur ne présente aucune difficulté et est laissée au lecteur. En fait, c'est une démonstration purement formelle de catégories abéliennes - le seul aspect particulier à la théorie des groupes est la forme explicite en terme de cochaines standards.

On notera la propriété additionnelle des trois suites exactes. Elle est immédiate à partir de la définition du cobord. En effet si l'on se donne f'' et g'' des cocycles représentant α'' et β'', leurs cobords sont définis en prenant des cochaines f, g dans A, B respectivement qui s'appliquent sur f'' et g'', de sorte que fg s'applique sur $f''g''$. La formule du lemme montre alors que l'on a bien celle du théorème.

Passons aux groupes finis.

LEMME 2 - _Soit_ G _un groupe fini. Soit_ X _une résolution complète_ $Z(G)$_-libre et acyclique de_ Z, _avec augmentation_ ε. _Soit_ d _l'opération de bord dans_ X, _et_ $d' = d \otimes X$ _et_ $d'' = X \otimes d$ _celles induites dans_ $X \otimes X$. _Alors il existe une famille de_ G-_morphismes_

$$\phi_{r,s} : X_{r+s} \longrightarrow X_r \otimes X_s$$

pour $-\infty < r,s < +\infty$ _satisfaisant aux conditions suivantes:_

1.) $\phi_{r,s} d = d' \phi_{r+1,s} + d'' \phi_{r,s+1}$

2.) $(\varepsilon \otimes \varepsilon) \phi_{0,0} = \varepsilon$.

Démonstration: Dans Cartan-Eilenberg.

THEOREME 7 - _Soit_ G _un groupe fini,_ H_G _le cup foncteur spécial. Alors il existe une structure de cup foncteur pour_ H_G _tel que si_ $A \times B \xrightarrow{\theta} C$ _est bilinéaire dans_ $Mod(G)$, _on ait_:

$$\kappa(a)\kappa(b) = \kappa(ab)$$

<u>pour</u> $a \in A^G$, $b \in B^G$. <u>Si en outre</u>, <u>on a trois suites exactes comme dans le théorème précédent et satisfaisant aux mêmes conditions</u>, <u>alors la formule de cobords est valable</u>.

<u>Démonstration</u>: Soit $\mathbf{C}^*(G,A)$ le complexe de cochaines $\mathrm{Hom}_G(X,A)$ pour $A \in \mathrm{Mod}(G)$. Alors pour $f \in \mathbf{C}^r(G,A)$ et $g \in \mathbf{C}^s(G,A)$, nous pouvons définir le produit $fg \in \mathbf{C}^{r+s}(C)$ par la succession d'applications canoniques:

$$X_{r+s} \xrightarrow{\phi_{r,s}} X_r \otimes X_s \xrightarrow{f \otimes g} A \otimes B \xrightarrow{\theta'} C$$

où θ' est le morphisme dans $\mathrm{Mod}(G)$ induit par θ, c'est-à-dire qu'on pose:

$$fg = \theta' (f \otimes g)\phi_{r,s}.$$

On vérifie alors sans difficultés la formule:

$$\delta(fg) = (\delta f)g + (-1)^r f(\delta g)$$

et le reste de la démonstration est alors comme dans le théorème précédent.

<u>Remarque</u>: Pour définir une structure de cup-foncteurs sur un foncteur cohomologique H sur une catégorie abélienne de groupe abélien $\mathfrak{A}$, fermée par produits tensoriels, il suffira de donner un cupping pour deux facteurs, i.e. de $H \times H$ dans H. En effet, supposons cela fait. Soient $\alpha_1 \in H^{r_1}(A_1), \ldots, \alpha_n \in H^{r_n}(A_n)$. Alors si on définit

$$\alpha_1 \ldots \alpha_n = (\ldots (\alpha_1 \alpha_2)\alpha_3) \ldots \alpha_n)$$

on voit immédiatement qu'on a bien défini une structure de cup foncteur relativement au produit tensoriel $A_1 \otimes A_2 \otimes \ldots \otimes A_n$. Pour avoir le cup foncteur en général, il suffit d'employer la propriété universelle du produit tensoriel.

3. Relations avec les Sous-Groupes

Nous donnons la liste des relations de commutativité du cup-produit pour un groupe et ses sous-groupes.

On remarquera d'abord que toute application multilinéaire θ dans Mod(G) induit de façon naturelle une application multilinéaire θ' dans Mod(G) pour tout sous-groupe G' de G.

THEOREME 8 - Soit $\theta : A \times B \to C$ une application bilinéaire dans Mod(G). Soit G' un sous-groupe de G. Soit H le cup foncteur ordinaire ou spécial, sauf quand il s'agira de l'inflation, auquel cas on prend l'ordinaire. Alors on a:

1.) $\mathrm{res}(\alpha\beta) = (\mathrm{res}\ \alpha)(\mathrm{res}\ \beta)$

pour $\alpha \in H^r(G,A)$, $\beta \in H^s(G,B)$ et la restriction de G à G'.

2.) $\mathrm{tr}((\mathrm{res}\ \alpha)\beta') = \alpha(\mathrm{tr}\ \beta')$

pour $\alpha \in H^r(G,A)$, $\beta' \in H^s(G',B)$, G' d'indice fini dans G, et le transfert pris de G' à G. De même on a:

$$\mathrm{tr}(\alpha'(\mathrm{res}\ \beta)) = (\mathrm{tr}\ \alpha')\beta$$

pour $\alpha' \in H^r(G',A)$, $\beta \in H^s(G,B)$.

3.) Supposons G' normal dans G, alors θ induit une application bilinéaire $A^{G'} \times B^{G'} \to C^{G'}$ et pour $\alpha \in H^r(G/G', A^{G'})$, et $\beta \in H^s(G/G', B^{G'})$, on a:

$$\inf(\alpha\beta) = (\inf \alpha)(\inf \beta).$$

Démonstration: Les formules sont évidentes en dimension 0, i.e. pour $r = s = 0$. Dans chaque cas, les formules de droite et de gauche définissent séparément un cupping d'un foncteur cohomologique dans un autre qui coincident en dimension 0 et satisfont aux conditions du théorème d'unicité. Les égalités sont donc valables en toutes dimensions.

Par exemple, dans 1) on a deux cuppings de

$$H_G \times H_G \rightarrow H_{G'}$$

donnés par $(\alpha,\beta) \mapsto \text{res}(\alpha\beta)$ et $(\alpha,\beta) \mapsto (\text{res } \alpha)(\text{res } \beta)$ respectivement. Dans 3.) on décompose l'inflation en deux, et l'on trouve d'abord un cupping

$$H_{G/G'} \times H_{G/G'} \rightarrow H_G$$

auquel on applique le théorème d'unicité valable seulement à droite. Nous laissons au lecteur le soin d'écrire les détails, sauf pour l'inflation, où nous écrivons explicitement l'un de ces cuppings:

$$H_{G/G'}(A^{G'}) \times H_{G/G'}(B^{G'}) \xrightarrow{\text{cup}} H_G(C^{G'}) \rightarrow H_G(C^G).$$

4. Le Théorème des Triplets

Nous allons formuler ici pour les cup-produits l'analogue du théorème des triplets. En fait, nous allons réduire sa démonstration au précédent.

THEOREME 9 - *Soit* G *un groupe fini*. *Soit* $\theta : A \times B \rightarrow C$ *bilinéaire dans* $\text{Mod}(G)$, *et fixons* $\alpha \in H^p(G,A)$. *Pour*

<u>chaque sous-groupe</u> G' <u>de</u> G <u>soit</u> $\alpha' = \mathrm{res}^{G}_{G'}\alpha$ <u>sa restriction dans</u> $H^p(G',A)$. <u>Pour chaque entier</u> s <u>désignons par:</u>

$$\alpha'_s : H^s(G',B) \to H^s(G',C)$$

<u>l'homomorphisme</u> $\beta' \mapsto \alpha'\beta'$. <u>Supposons qu'il existe un entier</u> r <u>tel que</u> α'_{r-1} <u>soit surjectif,</u> α'_r <u>soit un isomorphisme, et</u> α'_{r+1} <u>soit un monomorphisme, pour chaque sous-groupe</u> G' <u>de</u> G. <u>Alors</u> α'_s <u>est un isomorphisme pour tout</u> s.

<u>Démonstration</u>: Supposons d'abord $r = 0$. On sait alors que α'_s n'est autre que l'homomorphisme induit $(\theta_a)_*$ par un élément $a \in A^G$ où $\theta_a : B \to C$ est défini par $b \mapsto ab$. Notre théorème est donc vrai si $p = 0$ en vertu du théorème des triplets ordinaire. On remarquera que l'homomorphisme induit est bien compatible avec la restriction de G à G'.

On démontre le théorème par induction ascendante et descendante sur p. Donnons le détail par exemple dans le cas descendant, à gauche. On a $E = F = H$. Il existe $\xi \in H^r(G,X_A)$ tel que $\alpha = \delta\xi$, et la restriction étant un morphisme de foncteurs, on a $\alpha'_s = \delta\xi'_s$ pour tout s. Il est évident que α'_s est un isomorphisme (resp. mono, resp. épi) si et seulement si ξ'_s est un isomorphisme (resp. mono, resp. épi). On voit donc qu'on a bien une méthode inductive pour démontrer notre assertion.

5. Anneau de Cohomologie et Dualité

Soit A un anneau et supposons que le groupe G opère sur le groupe additif de A, i.e. que ce groupe additif soit dans $Mod(G)$. On dira que A est un <u>G-anneau</u> si de plus on a:

$$\sigma(ab) = (\sigma a)(\sigma b)$$

pour tout $\sigma \in G$, $a, b \in A$. Les multiplications de n-éléments dans A sont donc des applications multilinéaires dans la catégorie multilinéaire $Mod(G)$.

Désignons par $H(A)$ la somme directe $\coprod_{-\infty}^{\infty} H^p(A)$

où (H^p) est le foncteur ordinaire ou spécial sur $Mod(G)$. Alors $H(A)$ est évidemment un anneau gradué, la multiplication étant définie d'abord pour $\alpha \in H^p(A)$ et $\beta \in H^q(A)$ par le cup-produit, et ensuite pour une somme directe $\sum \alpha^{(p)}$ et $\sum \beta^{(q)}$ par linéarité:

$$\alpha\beta = \sum_r \Big(\sum_{p+q=r} \alpha^{(p)} \beta^{(q)} \Big)$$

On dira que $H(A)$ est <u>l'anneau de cohomologie de</u> A.

On vérifie immédiatement que si A est commutatif, alors $H(A)$ est anti-commutatif, i.e. si $\alpha \in H^p(A)$ et $\beta \in H^q(A)$ alors

$$\alpha\beta = (-1)^{pq} \beta\alpha.$$

L'anneau A ayant un élément unité, on a forcément $1 \in A^G$, et $\kappa(1)$ est alors l'élément unité de $H(A)$. En effet, pour $\beta \in H^q(A)$ on a

$$\kappa(1)\beta = \theta_{1*}\beta = \beta$$

puisque θ_1 : $a \mapsto 1a = a$ est l'identité.

Soit A un G-anneau et $B \in Mod(G)$. Supposons que B soit un A-module à gauche, compatible avec l'opération de G, c'est-à-dire que l'application:

$$A \times B \longrightarrow B$$

définie par l'opération de A sur B soit bilinéaire dans la catégorie multilinéaire Mod(G). On obtient alors un produit

$$H^p(A) \times H^q(B) \rightarrow H^{p+q}(B)$$

qu'on peut étendre par linéarité de façon à faire de la somme directe $H(B) = \Sigma H^p(B)$ un H(A)-module gradué. L'élément unité de H(A) opère bien comme identité sur H(B), i.e. le module est unitaire.

Soient B, C deux G-modules. Il y a une application naturelle

$$Hom(B,C) \times B \rightarrow C$$

définie par $(f,b) \mapsto f(b)$. Elle est bilinéaire dans la catégorie multilinéaire Mod(G), car on a:

$$(\sigma f)(\sigma b) = \sigma f \sigma^{-1} \sigma b = \sigma(fb)$$

pour $f \in Hom(B,C)$ et $b \in B$. On obtient donc un produit

$$\phi\beta \in H^{p+q}(C) \quad \text{pour} \quad \phi \in H^p(Hom(B,C)) \quad \text{et} \quad \beta \in H^q(B).$$

THEOREME 10 - <u>Soit</u>

$$0 \to B' \to B \to B'' \to 0$$

<u>exacte dans</u> Mod(G), <u>soit</u> $C \in$ Mod(G) <u>et supposons que la suite adjointe</u>

$$0 \to \mathrm{Hom}(B'',C) \to \mathrm{Hom}(B,C) \to \mathrm{Hom}(B',C) \to 0$$

<u>soit exacte</u>. <u>Alors pour</u> $\beta'' \in H^{q-1}(B'')$ <u>et</u> $\phi' \in H^p(\mathrm{Hom}(B',C))$ <u>on a</u>:

$$(\delta\phi')\beta'' + (-1)^p\, \phi'(\delta\beta'') = 0.$$

<u>Démonstration</u>: On a trois suites exactes:

$$\begin{array}{ccccccccc} 0 & \to & \mathrm{Hom}(B'',C) & \to & \mathrm{Hom}(B,C) & \to & \mathrm{Hom}(B',C) & \to & 0 \\ 0 & \longrightarrow & B' & \longrightarrow & B & \longrightarrow & B'' & \longrightarrow & 0 \\ 0 & \longrightarrow & C & \longrightarrow & C & \longrightarrow & 0 & \longrightarrow & 0 \end{array}$$

et une application bilinéaire au milieu, dans Mod(G), qui induit des applications comme dans le théorème d'existence du cup produit. Comme $\phi'\beta'' = 0$, nous trouvons bien le résultat présent comme cas particulier.

On écrit aussi le résultat sous forme d'un diagramme

$$\begin{array}{ccc} H^r(\mathrm{Hom}(B',C)) \times H^s(B') & \longrightarrow & H^{r+s}(C) \\ \delta \downarrow \qquad\qquad \delta^{-1} \uparrow & & \uparrow 1 \\ H^{r+1}(\mathrm{Hom}(B'',C)) \times H^{s-1}(B'') & \longrightarrow & H^{r+s}(C) \end{array}$$

qui est de caractère $(-1)^{r+1}$.

En dimension 0, on trouve:

OPOSITION 3 - Soit $f \in \mathrm{Hom}_G(B,C) = (\mathrm{Hom}(B,C))^G$, et $H^r(B)$. Alors:

$$\kappa(f)\beta = f_*\beta.$$

G est fini, et H spécial, on a:

$$\kappa(f) \cup Ж(b) = Ж(f(b)),$$

ur $b \in B_{S_G}$.

monstration: En dimension 0, c'est un vieux résultat. assertion concernant les dimensions -1 et 0 est un cas rticulier du théorème d'unicité, Corollaire 3.

On a un homomorphisme:

$$h_{r,s} : H^r(\mathrm{Hom}(B,C)) \to \mathrm{Hom}(H^r(B), H^{r+s}(C))$$

i s'obtient par l'application bilinéaire:

$$H^r(\mathrm{Hom}(B,C)) \times H^s(B) \to H^{r+s}(C).$$

ns des cas importants, on verra que $h_{r,s}$ est un isorphisme. Nous allons donner un critère pour que ce soit ai, dans le cas du foncteur spécial.

EOREME 11 - Soit G un groupe fini, et H le foncteur écial. Supposons que pour C fixe et B variable dans d(G), et deux entiers fixes p_o,q_o l'application $_{o},q_o$ soit un isomorphisme. Alors $h_{p,q}$ est un isomorisme pour tout p,q tels que $p+q = p_o + q_o$.

Démonstration: Nous allons shifter les dimensions. Cons dérons la suite exacte:

$$0 \to I \otimes B \to \mathbf{Z}(G) \otimes B \to \mathbf{Z} \otimes B = B \to 0$$

et homons la dans C. Comme elle splitte, on obtient une suite exacte,

$$0 \to \mathrm{Hom}(B,C) \to \mathrm{Hom}(\mathbf{Z}[G] \otimes B,C) \to \mathrm{Hom}(I \quad B,C) \to 0$$

Si on applique le théorème précédent, sous la forme du diagramme, on a:

$$\begin{array}{ccc} H^p(\mathrm{Hom}(I \otimes B,C)) & \xrightarrow{h_{p,q}} & \mathrm{Hom}(H^q(I \otimes B),H^{p+q}(C)) \\ \delta \downarrow & & \downarrow (\delta,1) \\ H^{p+1}(\mathrm{Hom}(B,C)) & \xrightarrow[h_{p+1,q-1}]{} & \mathrm{Hom}(H^{q-1}(B),H^{p+q}(C)) \end{array}$$

et les cobords verticaux sont des isomorphismes du fait que l'objet du milieu dans la suite exacte est G-régulie et donc annule la cohomologie. Cela termine la démonstra tion pour aller de p à p+1. Dans l'autre sens, on procède avec l'autre suite exacte:

$$0 \to B \to \mathbf{Z}(G) \otimes B \to J \otimes B \to 0$$

Nous laissons au lecteur le soin de l'expliciter.

Comme application, nous obtenons un théorème de dualité. Soit B un groupe abélien, et écrivons $\hat{B} = \mathrm{Hom}(B,Q/Z)$. C'est le groupe dual (les caractères d' ordre fini) que nous considérerons comme groupe discret pour ce qui nous occupe. Ses éléments seront tout simple

nt appelés les caractères de B. Si $B \in Mod(G)$, on
ut considérer B aussi comme groupe abélien et donc
ormer $\hat{B}$.

Nous rappelons que:

$$\kappa^{-1} : H^{-1}(\mathbb{Q}/\mathbb{Z}) \to (\mathbb{Q}/\mathbb{Z})_n$$

tablit un isomorphisme de $H^{-1}(\mathbb{Q}/\mathbb{Z})$ avec les éléments
'ordre n dans $\mathbb{Q}/\mathbb{Z}$, n étant l'ordre de G.

En outre, nous avons une application bilinéaire

$$\hat{B}\times B \longrightarrow \mathbb{Q}/\mathbb{Z}$$

: par conséquent une application bilinéaire provenant du
ıp-foncteur

$$H^{-q}(\hat{B})\times H^{q-1}(B) \to H^{-1}(\mathbb{Q}/\mathbb{Z}).$$

IEOREME de DUALITE - L'homomorphisme de $H^{-q}(\hat{B})$ dans le
ıal de $H^{q-1}(B)$ qui fait correspondre à $\phi\in H^{-q}(\hat{B})$ le
ıractère $\beta \mapsto \kappa^{-1}(\phi\beta)$, est un isomorphisme, et on a donc
ımboliquement:

$$H^{-q}(\hat{B}) = H^{q-1}(B)\hat{}.$$

émonstration: D'après les définitions, on voit qu'il
ıut montrer que $h_{-q,q-1}$ est un isomorphisme, et d'après
: théorème précédent, il nous suffira de montrer que
$_{o,-1}$ en est un. En vertu de la détermination de $h_{o,q}$
omme homomorphisme induit, nous pouvons expliciter
$_{o,-1}$ dans le cas présent de la façon suivante. On a un

homomorphisme:

$$\hat{B}^G / S_G \hat{B} \longrightarrow (B_S / IB)^{\wedge}$$

qui s'obtient simplement en prenant $f \in \hat{B}$ et lui fait correspondre le caractère $b \mapsto f(b)$ pour $b \in B_S$. Il nous faut montrer que c'est un isomorphisme. On fait ça en deux temps:

Il est surjectif. En effet, soit $f_o : B_S \longrightarrow (\mathbf{Q}/\mathbf{Z})$, un homomorphisme qui s'annule sur IB. On peut l'étendre à un homomorphisme f de B dans $\mathbf{Q}/\mathbf{Z}$ car $\mathbf{Q}/\mathbf{Z}$ est injectif. En fait, f est dans $\hat{B}^G$ car:

$$f(\sigma b) - \sigma f(b) = f(\sigma b) - f(b) = f(\sigma b - b) = 0$$

par hypothèse. On a donc montré la surjectivité.

Il est injectif. En effet, soit $f \in \hat{B}^G$ et supposons $f(B_S) = 0$. Comme B/B_S est isomorphe à SB, il existe $g \in (SB)^{\wedge}$ tel que:

$$f(b) = g(Sb) \qquad b \in B.$$

Etendons g à un homomorphisme de B dans $\mathbf{Q}/\mathbf{Z}$, et notons-le par la même lettre. Alors on a $f = Sg$, car:

$$(Sg)(b) = \sum \sigma g \sigma^{-1} b = \sum g \sigma^{-1} b = g(\sum \sigma^{-1} b) = gSb = f($$

Cela démontre notre théorème.

Posons $B = \mathbf{Z}$. Alors $\hat{B} = \hat{\mathbf{Z}} = \mathrm{Hom}(\mathbf{Z}, \mathbf{Q}/\mathbf{Z}) = \mathbf{Q}/\mathbf{Z}$, et on trouve:

COROLLAIRE 1 - $H^{-q}(\mathbf{Q}/\mathbf{Z}) \approx H^{q-1}(Z)^{\wedge}$.

En appliquant les cobords de la suite exacte

$$0 \to \mathbf{Z} \to \mathbf{Q} \to \mathbf{Q}/\mathbf{Z} \to 0$$

nous trouvons:

COROLLAIRE 2 - le diagramme

$$\begin{array}{ccccc} H^{-p-1}(\mathbf{Q}/\mathbf{Z}) & \times & H^{p}(Z) & \to & H^{-1}(\mathbf{Q}/\mathbf{Z}) \\ \delta\downarrow & & \downarrow 1 & & \downarrow\delta \\ H^{-p}(Z) & \times & H^{p}(\mathbf{Z}) & \to & H^{o}(Z) \end{array}$$

est commutatif, les applications verticales sont des isomorphismes, et donc:

$$H^{-p}(Z) \approx H^{p}(\mathbf{Z})^{\wedge}.$$

Démonstration: Comme $\mathbf{Q}$ est uniquement divisible par n, ses groupes de cohomologie sont nuls, et les cobords sont des isomorphismes. Notre corollaire est donc évident.

COROLLAIRE 3 Soit $M \in Mod(G)$, $\mathbf{Z}$-libre. Alors on a un diagramme commutatif:

$$\begin{array}{ccccc} H^{p-1}(Hom(M,\mathbf{Q}/\mathbf{Z})) & \times & H^{-p}(M) & \to & H^{-1}(\mathbf{Q}/\mathbf{Z}) \\ \delta\downarrow & & \downarrow 1 & & \downarrow\delta \\ H^{p}(Hom(M,\mathbf{Z})) & \times & H^{-p}(M) & \to & H^{o}(Z) \end{array}$$

avec les applications verticales des isomorphismes, de

<u>sorte que</u> $H^p(\mathrm{Hom}(M,Z))$ <u>est canoniquement isomorphe à</u> $H^{-p}(M)^{\wedge}$.

<u>Démonstration</u>: C'est une conséquence immédiate du fait que Q est G-régulier (l'identité est la trace de $1/n$), donc que $\mathrm{Hom}(M,A)$ l'est aussi et annule la cohomologie, et la suite:

$$0 \to \mathrm{Hom}(M,\mathbf{Z}) \to \mathrm{Hom}(M,\mathbf{Q}) \to \mathrm{Hom}(M,\mathbf{Q}/\mathbf{Z}) \to 0$$

est exacte. On peut alors appliquer la définition du cup foncteur pour terminer la démonstration.

6. Périodicité

Nous avons vu au chapitre I que les groupes de cohomologie pour un groupe G cyclique sont périodiques. Nous allons donner un critère général pour un groupe quelconque. <u>Ce numéro ne sera pas employé dans la suite</u>. Soit $r \in Z$, fixe. Un élément $\zeta \in H^r(G,Z)$ sera dit être un générateur maximal si ζ engendre $H^r(G,Z)$ et si ζ est d'ordre $(G:1)$.

THEOREME 12 - <u>Soit</u> G <u>un groupe fini</u>, <u>et</u> $\zeta \in H^r(G,Z)$. <u>Les propriétés suivantes sont équivalentes</u>:

1.) ζ <u>est un générateur maximal</u>.

2.) ζ <u>est d'ordre</u> $(G:1)$.

3.) <u>Il existe un élément</u> $\zeta^{-1} \in H^{-r}(G,Z)$ <u>tel que</u> $\zeta^{-1}\zeta = 1$.

4.) <u>Pour tout</u> $A \in \mathrm{Mod}(G)$, <u>l'application</u>:

$$\alpha \mapsto \zeta\alpha$$

de $H^i(G,A) \to H^{i+r}(G,A)$ <u>est un isomorphisme pour tout</u> i.

<u>Démonstration</u>: 1.) ⇒ 2.). Evident.

2.) ⇒ 3.) Supposons que ζ soit d'ordre $(G : 1)$. Comme $H^{-r}(Z)$ est le groupe dual de $H^r(Z)$, d'après le théorème de dualité intégral, l'existence de ζ^{-1} découle des propriétés du groupe dual.

3.) ⇒ 4.) Les applications $\alpha \mapsto \zeta\alpha$ pour $\alpha \in H^i(A)$ et $\beta \mapsto \zeta^{-1}\beta$ pour $\beta \in H^{i+r}(A)$ sont inverses l'une de l'autre, à la puissance $(-1)^r$ près, et sont donc des isomorphismes.

4.) ⇒ 1.) On prend $A = Z$ et $i = 0$ dans l'assertion précédente, et l'on emploie le fait que $H^0(Z)$ est cyclique d'ordre $(G : 1)$. L'implication est alors évidente.

L'unicité de ζ^{-1} satisfaisant à la condition 3.) est évidente, compte tenu du fait que $H^{-r}(Z)$ est dual à $H^r(Z)$.

PROPOSITION 4 - <u>Si</u> $\zeta \in H^r(G,Z)$ <u>est un générateur maximal, il en est de même de</u> ζ^{-1}. <u>Si</u> $\zeta_1 \in H^s(G,Z)$ <u>est un générateur maximal, il en est de même de</u> $\zeta\zeta_1$.

<u>Démonstration</u>: La première assertion découle de 3.), la seconde de 4.).

Un entier m sera dit être une <u>période</u> de G si $H^m(G,Z)$ contient un générateur maximal, c'est-à-dire est cyclique d'ordre $(G : 1)$. L'anticommutativité du cup produit montre qu'une période est <u>paire</u>.

PROPOSITION 5 - *Si* G *admet une période* m, *et si* U *est un sous-groupe de* G, *et si* $\zeta \in \mathbf{H}^m(G,\mathbf{Z})$ *est d'ordre* $(G : 1)$, *alors* $\mathrm{res}_U^G(\zeta)$ *est d'ordre* $(U : 1)$, *et* m *est une période de* U.

Démonstration: Comme on a $\mathrm{tr}_G^U\ \mathrm{res}_U^G(\zeta) = (G : U)\zeta$, il s'ensuit que l'ordre de la restriction de ζ est au moins égal à $(U : 1)$. Comme il est au plus égal à ce nombre, c'est une période.

PROPOSITION 6 - *Soit* G_p *un sous-groupe de Sylow de* G, *et soit* $\zeta \in \mathbf{H}^r(G_p,\mathbf{Z})$ *un générateur maximal. Soit* n *un entier tel que* $k^n \equiv 1 \pmod{(G_p : 1)}$ *pour tout entier* k *premier à* p. *Alors*:

$\zeta^n \in \mathbf{H}^{nr}(G_p,\mathbf{Z})$ *est stable*, i.e. $\sigma_*(\zeta^n) = \zeta^n$ *pour tout* $\sigma \in G$, *et*:

$$\mathrm{tr}_G^{G_p}(\zeta^n)$$

est d'ordre $(G_p : 1)$.

Démonstration: Comme σ_* est un isomorphisme, et comme la restriction d'un générateur maximal est un générateur maximal, on en déduit que les éléments:

$$\beta = \mathrm{res}^{G_p}_{G_p \cap G_p^\sigma}(\zeta^n) \qquad \text{et} \qquad \mathrm{res}^{G_p^\sigma}_{G_p \cap G_p^\sigma} \circ \sigma_*(\zeta^n) = \lambda$$

sont tous deux des générateurs maximaux dans $\mathbf{H}^r(G_p \cap G_p^\sigma, \mathbf{Z})$. Par conséquent, il existe un entier k

premier à p tel que l'un soit égal à k fois l'autre, i.e.

$$k\beta = \lambda.$$

Si on prend la puissance n-ième, on trouve:

$$k^n\beta^n = \lambda^n$$

et en employant la définition de n, avec le fait que $(G_p : 1)$ annule β et λ, avec la commutativité du cup produit et des opérations indiquées, on trouve bien que ζ^n est stable. Ceci étant le cas, on sait par la Proposition du chap. II que:

$$\mathrm{res}^G_{G_p} \circ \mathrm{tr}^{G_p}_G(\zeta^n) = (G : G_p)\zeta^n ,$$

et comme $(G : G_p)$ est premier à p, il s'ensuit que le transfert suivi de la restriction est injectif sur le groupe engendré par ζ^n. Il en est donc de même du transfert. De là on voit immédiatement que la période de ce transfert est la même que celle de ζ^n, et la même que celle de ζ.

COROLLAIRE - *Soit G fini. Alors G admet une période > 0 si et seulement si chaque sous-groupe de Sylow G_p admet une période > 0.*

Démonstration: Si G admet une période >0, la proposition montre qu'il en est de même de G_p. Réciproquement, supposons que $\zeta'_p \in H^r(G_p,Z)$ soit un générateur maximal.

Posons $\zeta_p = tr_G^{G_p}(\zeta'_p)$. Alors l'ordre de ζ_p est le même que celui de ζ'_p d'après la proposition précédente. Si on pose $\zeta = \sum \zeta_p$, c'est un élément d'ordre $(G : 1)$, i.e. G admet une période >0.

Le corollaire précédent ramène l'étude de la périodicité aux p-groupes. On peut montrer facilement le résultat suivant:

PROPOSITION 7 - Soit $G = G_p$ un p-groupe. Alors G admet une période >0 si et seulement si G est cyclique, ou G est un groupe de quaternions généralisé.

7. Les Théorèmes de Tate-Nakayama

Nous allons maintenant rejoindre le théorème du splitting module pour un class-module. On rappelle que si A' est cohomologiquement trivial et M un G-module sans torsion, alors $A' \otimes M$ est cohomologiquement trivial.

THEOREME 13 - Soit G un groupe fini, M sans torsion, A un class-module, et $\alpha \in H^2(G,A)$ fondamental. Soit

$$\alpha_r : H^r(G,M) \to H^{r+2}(G,A \otimes M)$$

l'homomorphisme du cup-produit relatif à l'application bilinéaire

$$A \times M \to A \otimes M$$

i.e. tel que $\alpha_r(\lambda) = \alpha \cup \lambda$ pour $\lambda \in H^r(G,M)$. Alors α_r est un isomorphisme pour $-\infty < r < +\infty$.

<u>Démonstration</u>: D'après le théorème principal de trivialité cohomologique, on a des suites exactes:

$$0 \to A \to A' \to I \to 0$$

$$0 \to A \otimes M \to A' \otimes M \to I \otimes M \to 0$$

la seconde étant exacte du fait que la première splitte.

En outre $A' \otimes M$ est cohomologiquement trivial. Posons $\beta = \delta\zeta$. Alors $\alpha_r(\lambda) = \alpha\lambda = (\delta\beta)\lambda = \delta(\beta\lambda)$. Si on emploie maintenant les suites:

$$0 \to I \to \mathbf{Z}(G) \to \mathbf{Z} \to 0$$

$$0 \to I \otimes M \to \mathbf{Z}(G) \otimes M \to \mathbf{Z} \otimes M \to 0$$

on trouve:

$$\alpha_r(\lambda) = \delta\delta(\zeta\lambda).$$

Les δ sont des isomorphismes, dans un cas puisque $\mathbf{Z}(G) \otimes M$ est G-régulier, et dans l'autre par le théorème principal de trivialité cohomologique. Pour montrer que α_r est un isomorphisme, il suffira donc de montrer que $\zeta_r : \lambda \mapsto \zeta\lambda$ en est un. Mais ceci est évident puisque c'est en fait l'identité, comme on le voit en explicitant l'homomorphisme canonique:

$$\mathbf{Z} \otimes M \approx M.$$

Ceci démontre le théorème.

Nous pouvons écrire le diagramme commutatif correspondant au théorème de la façon suivante:

$$\begin{array}{ccc} H^o(\mathbf{Z})\times H^r(M) & \rightarrow & H^r(\mathbf{Z}\otimes M) = H^r(M) \\ \downarrow\delta \quad \downarrow 1 & & \downarrow\delta \\ H^1(I)\times H^r(M) & \rightarrow & H^{r+1}(I\otimes M) \\ \downarrow\delta \quad \downarrow 1 & & \downarrow\delta \\ H^2(A)\times H^r(M) & \rightarrow & H^{r+2}(A\otimes M) \end{array}$$

Les δ verticaux étant des isomorphismes, et le cup produit du haut correspondant à l'application bilinéaire $\mathbf{Z}\times M \rightarrow \mathbf{Z}\otimes M = M$, de sorte que l'isomorphisme induit par ζ_r est l'identité.

Si l'on prend $M = \mathbf{Z}$ et $r = -2$, on trouve:

$$H^2(A) \times H^{-2}(\mathbf{Z}) \rightarrow H^o(A).$$

On sait que $H^{-2}(\mathbf{Z}) = G/G^c$, et on trouve donc un isomorphisme entre G/G^c et $H^o(A) = A^G/S_G A$. Nous expliciterons cet isomorphisme plus bas.

Nous avons un théorème analogue en prenant Hom au lieu du produit tensoriel, et en employant le théorème de dualité.

THEOREME 14 - _Soit_ G _un groupe fini_, $M \in Mod(G)$ _et_ $\mathbf{Z}$-libre, _et_ A _un class-module. Alors pour tout_ r, _l'application bilinéaire du cup produit_:

$$H^r(G,Hom(M,A)) \times H^{2-r}(G,M) \rightarrow H^2(G,A)$$

induit un isomorphisme de $H^r(G,Hom(M,A))$ _sur_ $H^{2-r}(G,M)^{\wedge}$.

Démonstration: On shift dimensions sur A deux fois. Du fait que A' et $\mathbf{Z}(G)$ sont libres, on voit que les suites:

$$0 \to \mathrm{Hom}(M,A) \to \mathrm{Hom}(M,A') \to \mathrm{Hom}(M,I) \to 0$$

$$0 \to \mathrm{Hom}(M,I) \to \mathrm{Hom}(M,\mathbf{Z}(G)) \to \mathrm{Hom}(M,\mathbf{Z}) \to 0$$

sont exactes, et l'on trouve par la définition du cup produit des diagrammes commutatifs, comme suit, dans lesquels les applications verticales sont des isomorphismes.

$$\begin{array}{ccccc}
H^{r-2}(\mathrm{Hom}(M,\mathbf{Z})) & \times & H^{2-r}(M) & \to & H^{0}(\mathbf{Z}) \\
\delta \downarrow & & \downarrow 1 & & \downarrow \delta \\
H^{r-1}(\mathrm{Hom}(M,I)) & \times & H^{2-r}(M) & \to & H^{1}(I) \\
\delta \downarrow & & \downarrow 1 & & \downarrow \delta \\
H^{r}(\mathrm{Hom}(M,A)) & \times & H^{2-r}(M) & \to & H^{2}(A).
\end{array}$$

L'application bilinéaire du haut est celle du corollaire 3 du théorème de dualité, et on trouve donc ce que l'on veut. Si l'on fait $M = \mathbf{Z}$, on trouve pour $r = 0$

$$H^{0}(A) \times H^{2}(\mathbf{Z}) \to H^{2}(A),$$

ceci étant compatible avec l'application bilinéaire

$$A \times \mathbf{Z} \to A$$

telle que:

$$a \times n \mapsto na.$$

On sait que $H^2(\mathbf{Z})$ est isomorphe à $H^1(\mathbf{Q}/\mathbf{Z})$ par le cobord et l'on trouve donc une dualité exacte du fait que $H^2(\mathbf{Z})$ est fini:

$$H^o(A) \times H^1(Q/\mathbf{Z}) \rightarrow H^2(A).$$

Si l'on tient compte de la définition du cobord dans les cocycles standard, et du fait que $H^1(Q/\mathbf{Z})$ n'est autre que le groupe des caractères de G, nous avons le résultat explicite suivant:

THEOREME 15 - _Soit_ A _un class-module pour_ G. _Alors_ $H^o(A)$ _et_ $H^1(\mathbf{Q}/\mathbf{Z})$ _sont mis en dualité exacte par le pairing suivant_. _Pour_ $a \in A^G$ _et_ $\chi : G \rightarrow \mathbf{Q}/\mathbf{Z}$ _un caractère, on obtient un_ 2-_cocycle_

$$\big(\chi'(\sigma) + \chi'(\tau) - \chi'(\sigma\tau)\big)a = a_{\sigma,\tau}$$

dans A, _où_ χ' _désigne un représentant de_ χ _dans_ $\mathbf{Q}$ _l'expression entre brackets étant alors une cochaine dans_ $\mathbf{Z}$.

On remarquera que les valeurs du groupe des caractères de $H^o(A)$ sont dans $H^2(A)$. On remarquera d'ailleurs qu'on a défini une application bilinéaire

$$A^G \times \hat{G} \rightarrow H^2(G,A)$$

qu'on peut écrire:

$$(a,\chi) \mapsto a \cup \delta\chi$$

dont le noyau à gauche est $S_G A$, et le noyau à droite est 0

8. Nakayama Maps Explicités

A la fin du chapitre I, nous avons construit un isomorphisme entre $H^{-2}(\mathbf{Z})$ et G/G^c d'un groupe fini G, par la suite d'isomorphismes

$$H^{-2}(\mathbf{Z}) \approx H^{-1}(I) \approx I/I^2 \approx G/G^c.$$

Si $\tau \in G$, nous désignerons par ζ_τ l'élément de $H^{-2}(\mathbf{Z})$ qui correspond au coset τG^c dans G/G^c. Autrement dit, on a par définition:

$$\zeta_\tau = \delta^{-1} (Ж (\tau - 1))$$

où δ est le cobord associé à la suite exacte:

$$0 \to I_G \to \mathbf{Z}(G) \to \mathbf{Z} \to 0.$$

D'autre part, nous avons un cup produit:

$$H^r(A) \times H^{-2}(\mathbf{Z}) \to H^{r-2}(A)$$

pour $A \in \mathrm{Mod}(G)$, associé à l'application bilinéaire $\mathbf{Z} \times A \to A$ naturelle. Nous allons expliciter ce cup-produit pour $r \geqq 1$, avec les cochaines du complexe standard, et la description de $H^{-2}(\mathbf{Z})$ donnée ci-dessus.

Pour commencer nous allons expliciter le cup-produit avec une dimension shifting. Nous considérons une fois de plus la suite exacte:

$$0 \to I \to \mathbf{Z}(G) \to \mathbf{Z} \to 0$$

et sa duale:

$$0 \to \mathrm{Hom}(\mathbf{Z},A) \to \mathrm{Hom}(\mathbf{Z}(G),A) \to \mathrm{Hom}(I,A) \to 0$$

On a une application bilinéaire dans Mod(G)

$$\mathrm{Hom}(\mathbf{Z}(G),A) \times Z(G) \to A$$

donnée par la formule $(f,\lambda) \mapsto f(\lambda)$. On obtient donc un pairing de ces deux suites dans la suite exacte:

$$0 \to A \to A \to 0 \to 0$$

auquel on peut appliquer le théorème. Les cobords seront des isomorphismes, et on trouve donc:

PROPOSITION 8 - <u>Le diagramme suivant est de caractère</u> -1.

$$\begin{array}{ccccc} H^{0}(\mathrm{Hom}(I,A)) & \times & H^{-1}(I) & \to & H^{-1}(A) \\ \downarrow \delta & & \downarrow \delta^{-1} & & \downarrow 1 \\ H^{1}(\mathrm{Hom}(Z,A)) & \times & H^{-2}(Z) & \to & H^{-1}(A) \end{array},$$

<u>et les applications verticales sont des isomorphismes</u>.

D'autre part, on sait qu'en dimension 0, le cup-produit est donné par les morphismes induits; et d'après le Corollaire 3 du théorème d'unicité des cup-produits, on voit que le cup-produit de la ligne supérieure est donné par l'application:

$$\kappa(f) \cup Ж(\sigma-1) = Ж(f(\sigma-1))$$

pour f $\mathrm{Hom}_G(I,A)$.

Regardons maintenant le cas général.

THEOREME 16 - <u>Soit</u> $a = a(\sigma_1,\ldots,\sigma_r)$ <u>une cochaine standard</u>

our $r \geq 1$. Pour chaque $\tau \in G$ définissons une application

$$a \to a*\tau$$

e $C^r(G)$ dans $C^{r-2}(G)$, par les formules:

$$(a*\tau)\,(.) = a(\tau) \qquad r = 1$$

$$(a*\tau)\,(.) = \sum_{\rho \in G} a(\rho,\tau) \qquad r = 2$$

$$a*\tau)(\sigma_1,\ldots,\sigma_{r-2}) = \sum_{\rho \in G} a(\sigma_1,\ldots,\sigma_{r-2},\rho,\tau) \quad r > 2.$$

lors, on a pour $r \geq 1$ la relation

$$(\delta a)*\tau = \delta(a*\tau),$$

t si a est un cocycle représentant un élément α de $^r(A)$, alors $(a*\tau)$ représente $\alpha \cup \zeta_\tau \in H^{r-2}(A)$.

émonstration: Faisons d'abord la démonstration pour = 1 et 2. Si $a = a(\sigma)$ est une cochaine de dimension , on trouve:

$$\begin{aligned}((\delta a)*\tau)(.) &= \sum_{\rho} (\delta a)(\rho,\tau)\\ &= \sum_{\rho} (\rho a(\tau) - a(\rho\tau) + a(\rho))\\ &= \sum \rho a(\tau)\\ &= S_G(a(\tau)) = S((a*\tau)(.))\\ &= (\delta(a*\tau))(.)\ ,\end{aligned}$$

e qui démontre la commutativité pour $r = 1$.

Soit maintenant $r = 2$, et $a(\sigma,\tau)$ une 2-cochaine. Alors:

$$
\begin{aligned}
(\delta a \times \tau)(\sigma) &= \sum_{\rho} (\delta a)(\sigma,\rho,\tau) \\
&= \sum_{\rho} (\sigma a(\rho,\tau) - a(\sigma\rho,\tau) + a(\sigma,\rho\tau) - a(\sigma,\rho)) \\
&= \sum_{\rho} \sigma a(\rho,\tau) - a(\rho,\tau) \\
&= (\sigma-1) \sum_{\rho} a(\rho,\tau) \\
&= (\sigma-1)((a*\tau)(.)) \\
&= (\delta(a*\tau))(\sigma)
\end{aligned}
$$

ce qui démontre la relation de commutativité pour $r = 2$. Pour $r > 2$ la démonstration est entièrement analogue et nous la laissons au lecteur.

En vertu des relations de commutativité, on voit qu'on a un homomorphisme induit sur les groupes de cohomologie, à savoir:

$$\phi_\tau : H^r(A) \to H^{r-2}(A) \qquad r \geqq 2,$$

H désignant le foncteur cohomologique spécial. (Il faut ajouter que si $a(\sigma)$ est un cobord, i.e. $a(\sigma) = (\sigma-1)b$, alors $(a\ \tau)(.) = (\tau-1)b$ est dans $I_G A$.) C'est-à-dire que $\phi\tau$ est un morphisme de foncteur. C'est en outre un δ-morphisme, i.e. ϕ_τ commute avec le cobord relatif à une suite exacte à trois termes. Comme $\alpha \mapsto \alpha \cup \zeta_\tau$ est aussi un δ-morphisme de H^r dans H^{r-2}, pour montrer qu'ils sont égaux, il nous suffira de montrer qu'ils coincident pour $r = 1$, en vertu du théorème d'unicité.

Explicitement, il nous faut montrer que si $\alpha \in H^1(A)$ est représenté par un cocycle $a(\sigma)$, alors

$\alpha\cup\zeta_\tau$ est représenté par $(a*\tau)(.)$, i.e.
$\alpha\cup\zeta_\tau = \text{Ж}\,(a(\tau))$. Ceci est maintenant évident, en vertu du
iagramme:

$$\begin{array}{ccccc}
\kappa(f) & \times & \text{Ж}\,(\tau-1) & \mapsto & (f(\tau-1)) \\
\delta\downarrow & & \downarrow\delta^{-1} & & \downarrow 1 \\
(\delta\kappa(f) = -\alpha) & \times & \delta^{-1}\,(\tau-1) = \zeta_\tau & \mapsto & \alpha\cup\zeta_\tau
\end{array}$$

e cobord de gauche provenant de la proposition.

OROLLAIRE 1 - <u>Si</u> $\alpha\in\mathbf{H}^1(A)$ <u>est représenté par un cocycle</u> <u>tandard</u> $a(\sigma)$, <u>alors pour</u> $\tau\in G$, <u>on a</u> $a(\tau)\in A_{S_G}$, <u>et</u>

$$\alpha\cup\zeta_\tau = \text{Ж}\,(a(\tau))\in\mathbf{H}^{-1}(A).$$

<u>i</u> $\alpha\in H^2(A)$ <u>est représenté par le cocycle standard</u> (σ,τ), <u>alors pour chaque</u> $\tau\in G$, <u>on a</u> $\sum_\rho a(\rho,\tau)\in A^G$, <u>et</u>

$$\alpha\cup\zeta_\tau = \kappa\,(\sum_\rho a(\rho,\tau))\in\mathbf{H}^0(A).$$

OROLLAIRE 2 - <u>La dualité entre</u> $H^1(G,\mathbf{Z})$ <u>et</u> $H^{-2}(\mathbf{Z})$ <u>dans</u> <u>e théorème de dualité est consistante avec l'identifica-</u> <u>ion de</u> H^1 <u>avec le groupe des caractères de</u> G, <u>et celle</u> <u>e</u> $H^{-2}(\mathbf{Z})$ <u>avec</u> G/G^c.

En langage fonctoriel, on peut considérer $H^1(G,\mathbf{Z})$, , $H^{-2}(G,\mathbf{Z})$ et G/G^c comme des foncteurs sur la catégo-ie des groupes, et le corollaire dit qu'ils sont iso-orphes deux à deux.

Les applications de Nakayama permettent de donner de nouvelles relations de commutativité. On peut définir des homomorphismes de restriction, inflation, et transfert comme suit. Si U est un sous-groupe de G, alors on a:

$$inc_* : U/U^c \to G/G^c$$

induit par l'inclusion. Si $\lambda : G \to \bar{G}$ est un homomorphisme, on a l'homomorphisme induit:

$$\lambda^c : G/G^c \to \bar{G}/\bar{G}^c,$$

et enfin si U est d'indice fini dans G on a le transfert de la théorie des groupes,

$$Tr^{G/G^c}_{U/U^c} : G/G^c \to U/U^c .$$

Si on considère la catégorie des groupes finis, on identifie le foncteur G/G^c avec $\mathbf{H}^{-2}(G,\mathbf{Z})$. Nous avons maintenant les résultats suivants.

PROPOSITION 9 - Soit G un groupe fini, U un sous-group de G. Alors:

1.) Si $\tau\in U$, $A\in Mod(G)$, $\alpha\in\mathbf{H}^r(G,A)$ on a

$$Tr^U_G(\zeta_\tau \cup res^G_U \alpha) = \zeta_\tau \cup \alpha .$$

2.) Si U est normal, m = (U : 1), $A\in Mod(G)$, $\alpha\in\mathbf{H}^r(G/U,A^U)$ et $r \geq 2$, alors:

$$m.inf^{G/U}_G (\zeta_{\bar{\tau}} \cup \alpha) = \zeta_\tau \cup inf^{G/U}_G (\alpha) .$$

Si $r = 2$, $m.\mathrm{inf}_G^{G/U}$ est induit par $B^G \to m.B^G$, $mS_U B \to S_G B$ pour $B \in \mathrm{Mod}(G/U)$.

Démonstration: Considérons la première assertion. Pour τ fixé, on a deux applications:

$$\alpha \mapsto \zeta_\tau \cup \alpha$$

$$\alpha \mapsto \mathrm{tr}_G^U(\zeta_\tau \cup \mathrm{res}_U^G \alpha)$$

qu'on vérifie immédiatement être des δ-morphismes du foncteur cohomologique $\mathbf{H}_G$ dans le foncteur cohomologique $\mathbf{H}_G$ avec un décalage de deux dimensions. Pour montrer qu'ils sont égaux, il suffira donc de le faire en dimension 2. Nous appliquons la formule de Nakayama. Ecrivons $G = \bigcup_c \bar{c}U$ une décomposition en cosets. Si f est un cocycle représentant α, la première application donne $\sum_{\rho\in G} f(\rho,\tau)$. La seconde donne:

$$S_U^G\Big(\sum_{\rho\in U} f(\rho,\tau)\Big) = \sum_{c,\rho\in U} \bar{c}f(\rho,\tau).$$

Si on se sert de la formule du cocycle

$$f(\bar{c},\rho) + f(\bar{c}\rho,\tau) - f(\bar{c},\rho\tau) = \bar{c}f(\rho,\tau)$$

on voit immédiatement que l'on a l'égalité désirée.

Pour démontrer la seconde assertion, nous travaillons avec le morphisme de lifting $\mathrm{lif}_G^{G/U}$. Il est évident que si on remplace inf par lif dans l'assertion 2.)

on retrouve l'assertion 2.) avec la commutativité des morphismes induits. On voit que $m.\mathrm{lif}_G^{G/U}$ est un δ-morphisme du foncteur $\mathbf{H}_{G/U}$ dans $\mathbf{H}_G$ (sur Mod(G/U)) et il nous suffira de montrer que les δ-morphismes donnés par:

$$\alpha \mapsto \zeta_\tau \cup \mathrm{lif}_G^{G/U}(\alpha)$$

$$\alpha \mapsto m.\mathrm{lif}_G^{G/U}(\zeta_{\bar{\tau}} \cup \alpha)$$

coincident en dimension 2. C'est bien le cas, si on applique Nakayama.

<u>Remarque</u>: Pour ce qui est de la première formule, on pourrait aussi employer le fait que le transfert correspond à l'inclusion et appliquer directement la formule du cup produit:

$$\mathrm{tr}(\alpha \cup \mathrm{res}\ \beta) = \mathrm{tr}(\alpha) \cup \beta.$$

On remarquera que si G est cyclique, alors $\mathbf{H}^{-2}(G,\mathbf{Z})$ admet un générateur d'ordre $(G : 1)$, et par conséquent, -2 est une période: Si σ est un générateur de G, alors pour tout $r \in \mathbf{Z}$, l'application

$$\mathbf{H}^r(G,A) \to \mathbf{H}^{r-2}(G,A)$$

donnée par:

$$\alpha \mapsto \zeta_\sigma \cup \alpha$$

est un isomorphisme. En conséquence, pour calculer la restriction, inflation, transfert, conjugaison, on peut se servir des formules de commutativité, de la détermination explicite obtenue au chap. II, § 2.

COROLLAIRE - Soit G cyclique, et supposons que $(U : 1)$ divise l'ordre de G/U. Alors l'inflation $\inf_G^{G/U} : H^s(G/U, A^U) \to H^s(G, A)$ est égale à 0, pour $s = 2r$ ou $s = 2r+1$, $r \geq 1$.

Démonstration: Soit σ un générateur de G, et $\alpha \in H^r(G/U, A^U)$. D'après la proposition, on trouve:

$$\zeta_\sigma \cup \inf(\alpha) = \inf(\zeta_{\bar{\sigma}} \cup \alpha).$$

Mais $\zeta_{\bar{\sigma}} \cup \alpha$ est de dimension $s-2$. Par induction, son inflation est annulée par $(U : 1)^{r-1}$ et l'on démontre ainsi le corollaire.

Pour terminer, nous allons résumer quelques commutativités. On pose $H = H_G$.

THEOREME 17 - Soit G fini d'ordre n. Soit $A \in Mod(G)$, et $\alpha \in H^2(A)$. Alors le diagramme suivant est commutatif.

$$\begin{array}{ccccc}
H^0(A) & \times & H^2(Z) & \to & H^2(A) \\
\cup\alpha \uparrow & & \uparrow id & & \uparrow \cup\alpha \\
H^{-2}(Z) & \times & H^2(Z) & \to & H^0(Z) = Z/nZ \\
id. \uparrow & & \uparrow \delta & & \uparrow \delta \\
H^{-2}(Z) & \times & H^1(Q/Z) & \to & H^{-1}(Q/Z) \\
\uparrow & & \uparrow & & \uparrow \\
G/G^c & \times & \hat{G} & \to & (Q/Z)_n
\end{array}$$

<u>Les applications verticales sont des isomorphismes aux deux étages du bas, et si</u> A <u>est un class module, et</u> α <u>un élément fondamental</u>, i.e. <u>un générateur de</u> $\mathbf{H}^2(A)$, <u>alors les cup avec</u> α <u>du haut sont aussi des isomorphismes</u>

<u>Démonstration</u>: La commutativité du haut provient du fait q[ue] tous les éléments sont de dimension paire, et qu'on a commutativité du cup produit pour ces dimensions. Celles du bas sont bien connues. G/G^c est l'indentification habituelle de $\mathbf{H}^{-2}(\mathbf{Z})$, $\hat{G}$ est celle de $\mathbf{H}^1(Q/Z)$ en considérant les cochaines standard, l'on se sert de la première assertion dans les applications de Nakayama. $\mathbf{H}^{-1}(Q/\mathbf{Z})$ est bien $(Q/\mathbf{Z})_n$ comme on l'a vu au chapitre I. Si A est un class module, on sait que le cup avec α donne un isomorphisme, ceci étant le théorème de Tate.

Nous trouvons ici l'isomorphisme de réciprocité de la théorie du corps de classes. Si G est abélien, alors $G^c = 1$, et $\mathbf{H}^o(A) = A^G/S_G A$ est isomorphe à G et dual de $\hat{G}$, de deux façons. D'une part, il est isomorphe à G par le cupping avec α et l'identification de $\mathbf{H}^{-2}(\mathbf{Z})$ avec G, et d'autre part, si χ est un caractère de G, i.e. un cocycle de dimension 1 dans $Q/\mathbf{Z}$, alors le cupping:

$$\kappa(a) \times \delta\chi \quad \mapsto \quad \kappa(a) \cup \delta\chi$$

donne une dualité exacte entre $A^G/S_G A$ et $\mathbf{H}^1(Q/\mathbf{Z})$, les valeurs étant prises dans $\mathbf{H}^2(A)$. Le diagramme exprime le fait que l'identification de $\mathbf{H}^o(A)$ avec G faites de ces deux manières est consistante.

CHAPITRE V

PRODUITS AUGMENTES

1. Définition

Dans le travail récent de Tate une nouvelle opération cohomologique est apparue, satisfaisant des propriétés semblables à celles du cup produit. Comme on peut s'attendre qu'on en trouve d'autres, nous ne faisons pas de synthèse à présent. Ici, nous suivrons des notes de Tate.

Soit $\mathfrak{A}$ une catégorie abélienne bilinéaire, H, E, F trois δ-foncteurs exacts sur $\mathfrak{A}$ à valeurs dans une même catégorie abélienne $\mathfrak{B}$. On suppose que pour chaque entier r, s tels que H^r, E^s soient définis, F^{r+s+1} le soit aussi. Par un produit de Tate, on entend l'objet formé de deux suites exactes:

$$0 \to A' \xrightarrow{i} A \xrightarrow{j} A'' \to 0$$

$$0 \to B' \xrightarrow{i} B \xrightarrow{j} B'' \to 0$$

et deux applications bilinéaires

$$A' \times B \rightarrow C$$
$$A \times B' \rightarrow C$$

qui coincident sur $A' \times B'$. Par un méta-théorème général, on peut définir des morphismes entre ces objets, qui en font une catégorie. Un <u>cupping augmenté</u>

$$H \times E \rightarrow F$$

associe à chaque produit de Tate une application bilinéaire

$$H^r(A'') \times E^s(B'') \rightarrow F^{r+s+1}(C)$$

satisfaisant aux conditions suivantes:

(CA1) L'association est fonctorielle, i.e. si on se donne un morphisme $u : (A,B,C) \rightarrow (\bar{A},\bar{B},\bar{C})$ d'un produit de Tate dans un autre, alors le diagramme:

$$\begin{array}{ccc} H^r(A'') \times E^s(B'') & \rightarrow & F^{r+s+1}(C) \\ H(u) \downarrow \quad E(u) \downarrow & & \downarrow F(u) \\ H^r(\bar{A}'') \times E^s(\bar{B}'') & \rightarrow & F^{r+s+1}(\bar{C}) \end{array}$$

est commutatif.

(CA2) Le cupping augmenté satisfait à la propriété de dimension shifting, à savoir:

Supposons donné un carré exact et commutatif:

$$\begin{array}{ccccccccc} & & 0 & & 0 & & 0 & & \\ & & \downarrow & & \downarrow & & \downarrow & & \\ 0 & \rightarrow & A' & \rightarrow & A & \rightarrow & A'' & \rightarrow & 0 \\ & & \downarrow & & \downarrow & & \downarrow & & \\ 0 & \rightarrow & M' & \rightarrow & M & \rightarrow & M'' & \rightarrow & 0 \\ & & \downarrow & & \downarrow & & \downarrow & & \\ 0 & \rightarrow & X' & \rightarrow & X & \rightarrow & X'' & \rightarrow & 0 \\ & & \downarrow & & \downarrow & & \downarrow & & \\ & & 0 & & 0 & & 0 & & \end{array}$$

et deux suites exactes

$$0 \to B' \to B \to B'' \to 0$$

$$0 \to C \to M_C \to X_C \to 0$$

ainsi que des applications bilinéaires

$$A' \times B \to C \qquad M' \times B \to M_C$$

$$A \times B' \to C \qquad M \times B' \to M_C$$

$$X' \times B \to X_C$$

$$X \times B' \to X_C$$

qui soient compatibles en un sens évident que nous laissons au lecteur et coincident sur $A' \times B'$, resp $M' \times B'$, resp $X' \times B'$.

Alors:

$$\begin{array}{ccc} H^r(X'') \times E^s(B'') & \to & F^{r+s+1}(X_C) \\ \delta \downarrow \qquad \downarrow \text{id.} & & \downarrow \delta \\ H^{r+1}(A'') \times E^s(B'') & \to & F^{r+s+2}(C) \end{array}$$

est commutatif et de même si on fait un dimension shifting sur le foncteur de droite, le diagramme sera de caractère -1.

Il est évident qu'on a alors un théorème d'unicité, si H est effaçable par un foncteur d'effacement M, qui soit exact, et dont le cofoncteur associé X soit également exact, et donne lieu à la situation ci-dessus.

On voit donc que le cupping augmenté se comporte comme le cup-produit, mais de façon un peu plus compliquée.

Toutes les relations avec restriction, transfert, etc... peuvent s'exprimer pour le cupping augmenté et sont valables, les démonstrations se basant de nouveau sur le théorème d'unicité.

A titre d'exemple on a:

PROPOSITION 1 - _Sur_ H_G _supposons donné un produit augmenté qui coincide avec celui qu'on vient de décrire. Soit_ U _un sous-groupe d'indice fini de_ G. _Etant donné un produit de Tate_ (A,B,C) _soient_ $\alpha'' \in H^r(G,A'')$ _et_ $\beta'' \in H^s(U,B'')$. _Alors_:

$$tr_G^U(res_U^G\, \alpha'' \cup_a \beta'') = \alpha'' \cup_a tr_G^U(\beta'').$$

Démonstration: Les deux côtés de cette égalité donnent chacun un cupping augmenté de $H_G \times H_U \to H_G$ ces foncteurs cohomologiques étant con sidérés comme pris sur la catégorie $Mod(G)$. En dimension $(0,0)$ et 1 ils coincident, comme on le voit par un calcul explicite.

PROPOSITION 2 - _Les notations étant prises comme ci-dessus, soit_ $\sigma \in G$. _Alors pour_ $\alpha'' \in H^r(U,A'')$ _et_ $\beta'' \in H^s(U,B'')$ _on a_

$$\sigma_*(\alpha'' \cup_a \beta'') = \sigma_* \alpha'' \cup_a \sigma_* \beta'' .$$

De même, si U _est normal, et_ $\alpha'' \in H^r(G/U, A''^U)$, $\beta'' \in H^s(G/U, B''^U)$, _on a pour l'inflation_

$$\inf(\alpha'' \cup_a \beta'') = \inf(\alpha'') \cup_a \inf(\beta'').$$

Il faut cependant remarquer que le produit doit être maintenant explicité non plus pour le dimensions 0, mais pour la dimension (-1,0) et 0 par exemple, ou (0,0) et 1. Faisons-le pour ces cas. On démontrera au numéro suivant l'existence d'un produit augmenté qui satisfait en ces dimensions à la condition que nous allons donner.

<u>Dimensions</u> (-1,0) <u>et</u> 0. On s'est donné les deux suites exactes

$$0 \to A' \xrightarrow{i} A \xrightarrow{j} A'' \to 0$$

$$0 \to B' \xrightarrow{i} B \xrightarrow{j} B'' \to 0$$

ainsi que des applications bilinéaires $A' \times B \to C$ et $A \times B' \to C$ coincidant sur $A' \times B'$, i.e. un produit de Tate. Alors on définit le cupping augmenté par

$$\kappa(a'') \cup \kappa(b'') = (a'b - ab')$$

où l'on détermine a', b' de la façon suivante: On choisit $a \in A$ tel que $ja = a''$ et $b \in B$ tel que $jb = b''$. Alors

$$ia' = S_G(a) \quad \text{et} \quad ib' = S_G(b).$$

<u>Dimensions</u> (0,0) <u>et</u> 1. On pose:

$\kappa(a'') \cup \kappa(b'')$ = classe de cohomologie du cocycle $a'_\sigma b + ab'_\sigma$ où l'on détermine a'_σ et b'_σ par les formules

$$ja = a'' \quad \text{et} \quad ia''_\sigma = \sigma a - a$$

et de même pour b'_σ.

2. <u>Existence</u>

Si $\mathfrak{B}$ est une catégorie abélienne multilinéaire, et $K(\mathfrak{B})$ désigne la catégorie abélienne des complexes de $\mathfrak{B}$, alors on peut en faire une catégorie bilinéaire de la façon suivante. Soient K, L, M trois complexes de $\mathfrak{B}$. Une application bilinéaire

$$\theta : K \times L \rightarrow M$$

est une famille d'application bilinéaire

$$\theta_{r,s} : K^r \times L^s \rightarrow M^{r+s}$$

satisfaisant la condition:

$$\delta_M(\theta_{r,s}(x,y)) = \theta_{r+1,s}(\delta_K x,y) + (-1)^r \theta_{r,s+1}(x,\delta_L y)$$

où l'on désigne par δ_M, δ_L, δ_K les différentielles dans les complexes M, L, K respectivement, et on prend $x \in K^r$, $y \in L^s$. Pour simplifier la notation, on omet tous les indices, et la formule se lit:

$$\delta(x.y) = \delta x.y + (-1)^r x.\delta y$$

le point . signifiant l'application bilinéaire θ avec l'indice convenable. Cela aurait dû être fait dans le numéro des cup produits.

THEOREME 1 - <u>Soit</u> $\mathfrak{A}$ <u>une catégorie abélienne multilinéaire</u> <u>et supposons donné un foncteur exact bilinéaire</u> $A \mapsto C^*(A)$ <u>de</u> $\mathfrak{A}$ <u>dans les complexes d'une catégorie multilinéaire</u> $\mathfrak{B}$. <u>Alors le foncteur cohomologique</u> H <u>sur</u> $\mathfrak{A}$ <u>dérivé admet une structure de cup foncteur, et de cup foncteur augmenté</u> (<u>de la façon décrite dans la démonstration et d'ailleurs évidente</u>).

émonstration: Le rédacteur se dégonfle de démontrer la ropriété de dimension shifting. Les propriétés du cup oncteur augmenté seront données à partir de la définition. 'assertion relative au cup produit ordinaire est évidente, t faite au numéro précédent.

Supposons donné un produit de Tate (A,B,C). On veut éfinir une application bilinéaire:

$$H^r(A'') \times H^s(B'') \rightarrow H^{r+s+1}(C).$$

ous allons en fait définir une application bilinéaire sur es complexes au moyen de cochaines.

Soient α'' et β'' des classes de cohomologie dans es deux premiers groupes respectivement, et f'', g'' des ocycles les représentant. On choisit des cochaines f, esp. g telles que $jf = f''$ et $jg = g''$, on se permet e prendre i comme une inclusion et on pose

$$h = \delta f . g + (-1)^r f \ . \ \delta g$$

e point désignant le produit induit par notre produit de ate. Alors $\alpha'' \cup_a \beta''$ = classe de cohomologie de h.

On vérifie comme d'habitude que cette classe est in- épendante des choix faits, mais il semble nettement plus ompliqué de montrer la propriété du dimension shifting. 'est un mécanisme à absorber.

Nous allons maintenant donner quelques propriétés du roduit augmenté.

IEOREME 2 - Les notations étant comme dans le théorème 1, es carrés, dans le diagramme qui suit, sont de gauche droite, commutatifs, de caractère $(-1)^r$, commutatif.

$$\begin{array}{ccccccc}
H^r(A') & \to & H^r(A) & \to & H^r(A'') & \xrightarrow{\delta} & H^{r+1}(A') \\
\times & & \times & & \times & & \times \\
H^s(B) & \leftarrow & H^{s+1}(B') & \xleftarrow{\delta} & H^s(B'') & \leftarrow & H^s(B) \\
\text{cup} \downarrow & & \text{cup} \downarrow & & \downarrow \text{cup aug.} & & \downarrow \text{cup} \\
H^{r+s+1}(C) & \to & H^{r+s+1}(C) & \to & H^{r+s+1}(C) & \to & H^{r+s+1}(C)
\end{array}$$

Les morphismes du bas sont tous l'identité.

Démonstration: Immédiate à partir de la définition, avec cochaines.

La propriété suivante du produit de Tate intervient quand on travaille avec les variétés abéliennes.

PROPOSITION 3 - On se place dans des catégories de groupe abéliens. Soit m un entier ≥ 1, et supposons que le suites:

$$0 \to A''_m \to A'' \xrightarrow{m} A'' \to 0$$

$$0 \to B''_m \to B'' \xrightarrow{m} B'' \to 0$$

soient exactes. Etant donné un produit de Tate (A,B,C) o peut définir une application bilinéaire:

$$A''_m \times B''_m \to C$$

comme suit. Soient $a'' \in A''_m$ et $b'' \in B''_m$. Choisissons $a \in A$ et $b \in B$ tels que $ja = a''$ et $jb = b''$. Alors

$$(a'',b'') = ma.b - a.mb$$

est bilinéaire.

monstration: Immédiate à partir des définitions, et de hypothèse sur le produit de Tate.

EOREME 3 - *Soit* (A,B,C) *un produit de Tate dans une tégorie multilinéaire de groupes abéliens, et les notaons comme dans les théorèmes* 1 *et* 2, *avec le cupping gmenté* $H \times H \to H$. *Alors le diagramme suivant est de ractère* $(-1)^{r-1}$.

$$
\begin{array}{ccc}
H^r(A''_m) & \rightarrow & H^r(A'') \\
\times & & \times \\
H^{s+1}(B''_m) & \overset{\delta_m}{\leftarrow} & H^s(B'') \\
\text{cup} \downarrow & & \downarrow \text{cup aug.} \\
H^{r+s+1}(C) & \underset{\text{id}}{\rightarrow} & H^{r+s+1}(C)
\end{array}
$$

Le cobord δ_m est relatif à la suite exacte de la oposition 3. Le cup produit de gauche relatif à l'applition bilinéaire définie dans le théorème 2.

CHAPITRE VI

SUITES SPECTRALES

Définitions

Soit $\mathfrak{A}$ une catégorie abélienne. On sait ce que
est qu'un objet filtré, (objet muni d'une filtration) et
gradué associé à un objet filtré. Les indices de fil-
ations seront pris dans $\mathbf{Z}$, et on écrira $F^n(A)$, $G^n(A) =$
$(A)/F^{n+1}(A)$ pour le n-ième sous truc de A, resp. le
ième machin du gradué associé.

Les objets filtrés forment une catégorie additive
is pas forcément abélienne. La famille $G(A) = \{G^n(A)\}$
t un foncteur covariant sur la catégorie des objets
ltrés.

Une suite spectrale dans $\mathfrak{A}$ est un système
$= (E_r^{p,q}, E^n)$ formé

) d'objets $E_r^{p,q}$ définis pour des entiers p, q, r
ec $r \geqq 2$.

(ii) de morphismes $d_r^{p,q} : E_r^{p,q} \to E_r^{p+r,q-r+1}$ tels que

$$d_r^{p+r,q-r+1} \circ d_r^{p,q} = 0$$

(iii) d'isomorphismes

$$\alpha_r^{p,q} : \mathrm{Ker}(d_r^{p,q})/\mathrm{Im}(d_r^{p-r,q+r-1}) \to E_{r+1}^{p,q}$$

(iv) d'objets filtrés E^n dans $\mathfrak{A}$ définis pour tout entier n.

On suppose que pour tout couple (p,q) fixe, on ai $d_r^{p,q} = 0$ et $d_r^{p-r,q+r-1} = 0$ pour r assez grand, d'où on en conclut que $E_r^{p,q}$ est indépendant de r pour r assez grand, et on note cet objet $E_\infty^{p,q}$. On suppose de plus que pour tout n fixe, $F^p(E^n)$ est égal à E^n po p assez petit, et égal à 0 pour p assez grand. Enfin, on suppose donnés:

(v) des isomorphismes $\beta^{p,q} : E_\infty^{p,q} \to G^p(E^{p+q})$.

La famille (E^n), sans filtration, est appelée l'aboutis sement de la suite spectrale E.

Un métathéorème général dit que les suites spectra dans $\mathfrak{A}$ forment une catégorie, les morphismes se défin sant de façon canonique, i.e. la définition d'un morphisr est forcée. Explicitons-la quand même. Un morphisme $u : E \to E'$ d'une suite spectrale dans une autre consis en un système de morphismes $u_r^{p,q} : E_r^{p,q} \to E_r^{p,q}$ et $u^n : E^n \to E'^n$ compatibles avec les filtrations, ces morphismes étant assujettis à commuter aux morphismes

$_r^{p,q}$, $\alpha_r^{p,q}$, et $\beta^{p,q}$.

Les suites spectrales dans $\mathfrak{A}$ forment alors une atégorie additive, mais pas abélienne.

Un foncteur spectral est un foncteur additif défini ur une catégorie abélienne à valeurs dans une catégorie e suites spectrales.

Procédés de construction. Il existe un foncteur pectral sur la catégorie des objets gradués filtrés d'une atégorie abélienne. Si on se donne la catégorie des bi-omplexes d'une catégorie abélienne, il existe deux fonc-eurs de celle-ci dans la catégorie des objets gradués iltrés (droite, gauche, puis gauche droite). Donc pour onstruire une suite spectrale, on forme un bicomplexe si ossible avec les moyens du bord, et encore si possible, n foncteur dans la catégorie des bicomplexes.

Une suite spectrale est dite positive si on a $_r^{p,q} = 0$ pour $p < 0$ et $q < 0$. Autrement dit, il n'y a es termes non nuls que dans le quadrant de droite en haut, ntre midi et midi et quart. Ceci étant le cas, on a:

$$E_r^{p,q} \approx E_\infty^{p,q} \qquad \text{pour } r > \sup(p,q+1)$$

$$E^n = 0 \qquad \text{pour } n < 0$$

$$F^m(E^n) = 0 \qquad \text{si } m > n$$

$$F^m(E^n) = E^n \qquad \text{si } m \leqq 0.$$

ous supposerons dorénavant que suite spectrale veut dire uite spectrale positive.

On a les inclusions:

$$E^n = F^o(E^n) \supset F^1(E^n) \supset \ldots \supset F^n(E^n) \supset F^{n+1}(E^n) = 0.$$

Les isomorphismes:

$$\beta^{o,n} : E_\infty^{o,n} \to G^o(E^n) = F^o(E^n)/F^1(E^n) = E^n/F^1(E^n).$$

$$\beta^{n,o} : E_\infty^{n,o} \to G^n(E^n) = F^n(E^n)$$

seront appelés les isomorphismes extrêmes de la suite spectrale, ou edge isomorphismes.

On a deux théorèmes généraux d'existence, par le foncteur composé, et le foncteur résolvant. On ne va pas recopier ici la section dans Grothendieck dévouée à cette question. Il semble au rédacteur que le foncteur résolvant est le plus propice pour la cohomologie des groupes, en vue de l'identification des edge isomorphismes avec l'inflation et restriction comme nous allons l'énoncer plus bas. Dans Hochschild-Serre, ceci est fait par des calculs explicites de cochaines et est épouvantable. Il paraît que Serre n'est même plus capable de comprendre son propre papier.

2. Suite Spectrale de Hochschild-Serre

Nous nous plaçons maintenant dans la cohomologie des groupes. On prend un groupe G quelconque, et le foncteur cohomologique H_G. Soit N un sous-groupe normal de G. Alors on a deux foncteurs :

$$A \mapsto A^N \quad \text{de } Mod(G) \text{ dans } Mod(G/N)$$

$$B \mapsto B^{G/N} \quad \text{de } Mod(G/N) \text{ dans } Mod(\mathbf{Z})$$

qui, quand on les compose, donnent $A \mapsto A^G$. Par la suite spectrale du foncteur composé on trouve donc un foncteur spectral tel que pour $A \in Mod(G)$,

$$E_2^{p,q}(A) = H^p(G/N,\ H^q(N,A)),$$

G/N opérant sur $H^q(N,A)$ par conjugaison comme on l'a vu. En outre, le foncteur spectral converge sur

$$E^n(A) = H^n(G,A).$$

Et voilà. On serait maintenant très content, sauf qu'il faut expliciter les edge-homomorphismes.

On voit que, d'une part, nous avons un isomorphisme:

$$\beta^{o,n} : E_\infty^{o,n}(A) \to H^n(G,A)/F^1(H^n(G,A)),$$

F^1 étant le premier terme d'une filtration dite convenable. En outre, $E_2^{o,n}(A) = H^n(N,A)^{G/N}$ et $E_\infty^{o,n}$ est un sous-groupe de $E_2^{o,n}$ compte tenu du fait que tout est 0 dans le quadrant de gauche en haut, i.e. de trois quarts à midi. En conséquence, l'inverse de $\beta^{o,n}$ est un monomorphisme de $H^n(G,A)/F^1(H^n(G,A))$ dans $H^n(N,A)$ et induit un homomorphisme de $H^n(G,A)$ dans ce groupe.

PROPOSITION 1 - _L'inverse de_ $\beta^{o,n}$ _qui donne un homomorphisme_

$$H^n(G,A) \to H^n(N,A)$$

est l'homomorphisme de restriction.

Démonstration: Comme on a caractérisé la restriction parce qu'elle est en dimension 0, on devrait avoir une démonstration de cet énoncé en donnant une caractérisation identique pour $\beta^{o,n}$. Mais le détail échappe à la compétence spectrale du rédacteur.

D'autre part, on a un isomorphisme

$$\beta^{n,o} : E_{\infty}^{n,o}(A) \rightarrow F^n(H^n(G,A))$$

l'image étant un sous-groupe de $H^n(G,A)$. Et dualement à ce qu'on avait plus haut, $E_{\infty}^{n,o}(A)$ est un groupe facteur de $E_2^{n,o}(A) = H^n(G/N,A^N)$. En composant l'homorphisme canonique déterminé par les $d_r^{n,o}$ et $\beta^{n,o}$ on trouve un homomorphisme

$$H^n(G/N,A^N) \rightarrow H^n(G,A).$$

PROPOSITION 2 - <u>Cette trouvaille est l'homomorphisme d'inflation.</u>

<u>Démonstration</u>: Identique à la précédente.

Une fois passées les propositions 1 et 2, on est tranquille (jusqu'aux cup produits), et il ne nous reste plus qu'à expliciter la suite spectrale, dans certains cas particuliers.

THEOREME 1 - <u>Soit</u> G <u>un groupe</u>, N <u>un sous-groupe normal. Alors on a une suite exacte pour</u> $A \in Mod(G)$:

$$0 \rightarrow H^1(G/N,A^N) \xrightarrow{inf.} H^1(G,A) \xrightarrow{res} H^1(N,A)^{G/N} \xrightarrow{d_2} H^2(G/N,A^N) \xrightarrow{inf} H^2(G,A)$$

<u>l'homomorphisme</u> d_2 <u>du milieu étant la transgression</u> tg.

THEOREME 2 - <u>Si</u> $H^r(N,A) = 0$ <u>pour</u> $1 \leq r < s$, <u>alors on a une suite exacte</u>:

$$0 \to H^s(G/N,A^N) \xrightarrow{inf.} H^s(G,A) \xrightarrow{res} H^s(N,A)^{G/N} \xrightarrow{tg} H^{s+1}(G/N,A^N) \xrightarrow{inf} H^{s+1}(G,A)$$

Pour les calculs, il est quelquefois commode de donner une caractérisation de la tg en terme de cochaines. On a

$$tg : H^1(N,A)^{G/N} \to H^2(G/N,A^N).$$

Alors, $\alpha = tg(\beta)$ si et seulement si il existe une cochaine f $C^1(G,A)$ telle que:

1.) La restriction de f à N soit un 1-cocycle représentant β.

2.) δf = inflation d'un 2-cocycle représentant α.

Dans le cas où beaucoup de groupes $H^r(N,A)$ sont triviaux, on a les critères suivants:

THEOREME 3 - <u>Supposons que</u> $H^r(N,A) = 0$ <u>pour</u> $r > 0$. <u>Alors on a un isomorphisme</u>:

$$H^p(G/N,A^N) \approx H^p(G,A)$$

<u>pour tout</u> $p \geq 0$, <u>donné par</u> $\alpha_2^{p,0}$.

L'hypothèse veut dire que tous les points de la suite

spectrale sont 0, sauf ceux de la ligne du bas.

THEOREME 4 - _Supposons que_ $H^r(N,A) = 0$ _pour_ $r > 1$. _Alors on a une suite exacte infinie_:

$$0 \to H^1(G/N,H^o(N,A)) \to H^1(G,A) \to H^o(G/N,H^1(N,A)) \xrightarrow{d_2}$$
$$H^2(G/N,H^o(N,A)) \to H^2(G,A) \to H^1(G/N,H^1(N,A)) \xrightarrow{d_2}$$
$$H^3(G/N,H^o(N,A)) \to H^3(G,A) \to H^2(G/N,H^1(N,A)) \to$$

L'hypothèse dans le théorème 4 veut dire que tous les points sont 0, sauf ceux des deux lignes du bas.

3. Suites Spectrales et Cup Produits

THEOREME 5 - _La suite spectrale est un cup foncteur_ (_en deux dimensions_) _au sens suivant_. _A chaque application bilinéaire_ $A \times B \to C$, _il y a un cupping_, _déterminé fonctoriellement_,

$$E_r^{p,q}(A) \times E_r^{p',q'}(B) \to E_r^{p+p',q+q'}(C)$$

tel que pour $\alpha \in E_r^{p,q}(A)$ _et_ $\beta \in E_r^{p',q'}(B)$, _on ait_:

$$d_r(\alpha \cdot \beta) = (d_r\alpha).\beta + (-1)^{p+q}\alpha.(d_r\beta).$$

Si on désigne par un $\cup$ _le cup produit habituel_, _on a_:

$$\alpha \cup \beta = (-1)^{q'p}\alpha.\beta$$

<u>pour</u> $r = 2$, <u>et le cup étant induit par l'application bilinéaire</u>:

$$H^q(N,A) \times H^{q'}(N,B) \to H^{q+q'}(N,C).$$

Soit maintenant G un groupe fini, et $B \in \mathrm{Mod}(G)$. On a une suite exacte:

$$0 \leftarrow B^G/S_{G/N}B^N \xleftarrow{\text{can.}} B^G \xleftarrow[\text{inc.}]{S_{G/N}} B^N/I_{G/N}B^N$$

$$\nearrow$$

$$B^N_{S_{G/N}}/I_{G/N}B^N \leftarrow 0$$

où en d'autres termes:

$$0 \leftarrow \mathbf{H}^0(G/N,B^N) \leftarrow H^0(G,B) \leftarrow H_0(G/N,B^N) \leftarrow \mathbf{H}^{-1}(G/N,B^N) \leftarrow 0$$

Je dis que cette suite exacte est duale de la suite exacte d'inflation restriction. De façon précise:

THEOREME 6 - <u>Soit</u> G <u>un groupe,</u> U <u>un sous-groupe normal d'indice fini dans</u> G, <u>et</u> (A,B,C) <u>un produit de Tate</u>. <u>On suppose que pour chaque</u> U <u>dans</u> G, (A^U, B^U, C^U) <u>soit aussi un produit de Tate</u>. <u>Alors les diagrammes suivants sont commutatifs</u>:

$$\begin{array}{ccccccc}
 & H^1(G/U, A''^U) & \xrightarrow{\text{inf.}} & H^1(G,A'') & \xrightarrow{\text{res.}} & H^1(U,A'') \\
 & \times & & \times & & \times \\
0 \leftarrow & \mathbf{H}^0(G/U,B''^U) & \xleftarrow{\text{can.}} & H^0(G,B'') & \xleftarrow{S_G^U} & H^0(U,B'') \\
 & \downarrow {}^{\cup}a & & \downarrow & & \downarrow \\
 & H^2(G/U,C^U) & \xrightarrow[\text{inf.}]{} & H^2(G,C) & \xrightarrow[\text{tr.}]{} & H^2(U,C)
\end{array}$$

<u>Les deux suites du haut sont exactes</u>.

CHAPITRE VII

GROUPES DE TYPE GALOIS

(Article non publié de TATE)

1. Définitions et propriétés élémentaires

Nous considérons ici une nouvelle catégorie de groupes et un foncteur cohomologique limite.

Un groupe G sera dit de *type Galois* si c'est un groupe compact, tel que les sous-groupes ouverts et normaux forment un système fondamental de voisinages de 1. Le groupe G étant compact, il s'ensuit que chaque sous-groupe U de ce genre est d'indice fini dans G.

Soit S un sous-groupe fermé de G (on n'aura jamais à considérer d'autres sous-groupes). *Alors* S *est l'intersection des sous-groupes ouverts* U *qui le contiennent*. En effet, si $\sigma \in G$, et $\sigma \notin S$, on peut trouver un sous-groupe ouvert normal U de G tel que $U\sigma$ ne rencontre pas S, et donc $US = SU$ ne rencontre pas σ. Mais US est ouvert et contient S, d'où notre assertion.

Remarquons aussi que *tout sous-groupe fermé d'indice*

fini est ouvert. (Il peut exister des sous-groupes d'indice fini non fermés, par exemple si l'on prend pour G les séries de puissances inversibles sur un corps fini à p élément, la topologie usuelle des séries de puissances formelles. Le groupe facteur G/G^p est un espace vectoriel sur Z_p, et on peut choisir un groupe intermédiaire d'indice p qui n'est pas ouvert).

Des exemples de groupes de type Galois sont donnés par les groupes de Galois infinis de la théorie des corps, les entiers p-adiques, etc.

Les groupes de Type Galois forment une catégorie, les morphismes étant les homomorphismes continus. Cette catégorie est stable par les opérations suivantes:

(i) passage au quotient par sous-groupes normaux fermés.

(ii) produits

(iii) prise de sous-groupes fermés.

(iv) limites inverses (par (ii) et (iii)).

Les groupes finis sont de type Galois, et par conséquent toute limite inverse de groupes finis est de type Galois. Réciproquement, tout groupe de type Galois est limite inverse lim. inv. G/U prise sur les U normaux ouverts.

Le résultat suivant nous permettra d'étendre formellement les résultats sur les groupes discrets relatifs aux sous-groupes et groupes facteurs.

PROPOSITION 1 - Soit G de type Galois, et S fermé dans G. Alors il existe une section continue $G/S \to G$, c'est-à-dire qu'on peut choisir de façon continue des représentants des cosets à gauche de S dans G.

Démonstration: On considère les paires (T,f) constituées par un sous-groupe fermé T de S et une application continue $f : G/S \to G/T$ telle que pour tout $x \in G$ le coset $f(xS) = yT$ soit contenu dans xS. On définit un ordre partiel en posant $(T,f) \leqq (T_1,f_1)$ si $T \subset T_1$ et $f_1(xS) \subset f(xS)$. Je dis que les paires sont alors ordonnées inductivement. En effet, soit (T_α,f_α) un sous-ensemble totalement ordonné de ces paires. Soit $T = \bigcap_\alpha T_\alpha$. C'est un sous-groupe fermé de G. Pour chaque $x \in G$, je dis que $\cap f_\alpha(xS)$ est un coset de T_α, et est fermé dans G. En effet, l'intersection d'un nombre fini de tels cosets $f_\alpha(xS)$ n'est pas vide en vertu de l'hypothèse sur les f_α. L'intersection $\bigcap f_\alpha(xS)$ prise sur tous les α n'est donc pas vide. Soit y un élément de cette intersection. Alors par définition, $yT_\alpha = f_\alpha(xS)$, et par conséquent yT est contenu dans chaque $f_\alpha(xS)$. Nous définissons $f(xS)$ par $f(xS) = yT$. Alors $f(xS) \subset xS$.

La limite projective des espaces homogènes G/T_α est alors canoniquement isomorphe à G/T, comme on le vérifie immédiatement par la compacité des objets en question. Par conséquent, les sections continues $G/S \to G/T_\alpha$ qui sont cohérentes se remontent à une section continue $G/S \to G/T$, et par Zorn, nous pouvons supposer que G/T est maximal, i.e. T minimal. Il faut montrer que $T = 1$.

Autrement dit, supposons comme au début S fermé dans G, si $S \neq 1$, il nous suffira de trouver $T \neq S$ et T ouvert dans S, fermé dans G, tel qu'on puisse trouver une section $G/S \to G/T$. Soit U ouvert normal dans G, $U \cap S \neq S$, et posons $U \cap S = T$. Si $G = \bigcup x_i US$ est une décomposition en cosets, l'application $x_i uS \mapsto x_i uT$ nous donne la section désirée.

Nous étendons aux groupes de type Galois la notion

d'index d'un sous-groupe fermé.

Par un nombre <u>supernaturel</u> nous entendons un produit formel $\Pi\, p^{n_p}$ pris sur les nombres premiers p, les exposants n_p étant des entiers $\geqq 0$ ou $+\infty$. On les multiplie en ajoutant les exposants et on les ordonne par divisibilité de la façon évidente. Le sup et le inf d'une famille quelconque de nombres surnaturels existent. Si S est un sous-groupe fermé de G, on définit son index dans G comme étant égal au nombre surnaturel

$$(G : S) = \operatorname*{ppcm}_{V} (G : V)$$

le ppcm étant pris sur les V ouverts contenant S. Alors on voit que $(G : S)$ est un nombre naturel si et seulement si S est ouvert, et on a:

PROPOSITION 2 - <u>Soient</u> $T \subset S \subset G$ <u>deux sous-groupes fermés de</u> G. <u>Alors</u> $(G : S)(S : T) = (G : T)$. <u>Si</u> (S_α) <u>est une famille décroissante de sous-groupes fermés de</u> G, <u>alors</u>:

$$(G : \bigcap S_\alpha) = \operatorname*{ppcm}_{\alpha} (G : S_\alpha).$$

<u>Démonstration</u>: Démontrons la première assertion. Soient m,n des entiers $\geqq 1$ tels que m divise $(G : S)$ et n divise $(S : T)$. On peut trouver deux sous-groupes U,V ouverts dans G tels que $U \supset S$, $V \supset T$, m divise $(G : U)$ et n divise $(S : V \cap S)$. On a

$$(G : U \cap V) = (G : U)(U : U \cap V).$$

Mais on a une injection $S/(V \cap S) \rightarrow U/(U \cap V)$ comme espac[es] homogènes. Par définition, on voit donc que mn divise

G : T). Donc, (G : S)(S : T) divise (G : T). La réci-
roque se démontre en notant que si $U \supset T$ est ouvert,
lors $(G : U) = (G : US)(US : U)$ et $(US : U) = (S : S \cap U)$,
'où (G : T) divise le produit.

La seconde assertion se démontre en appliquant la
remière.

Soit p un nombre premier fixe. On dit que G est
n p-groupe si (G : 1) est une puissance de p, ce qui
quivaut à dire que G est limite inverse de p-groupes
inis. On dit que S est un p-groupe de Sylow de G si
 est un p-groupe et (G : S) est premier à p.

ROPOSITION 3 - Soit G un groupe de type Galois, et p
n nombre premier. Alors G possède un p-groupe de
ylow, et deux tels sous-groupes sont conjugués. Tout p-
ous-groupe fermé S de G est contenu dans un p-sous-
roupe de Sylow.

émonstration: Considérons la famille des sous-groupes
ermés T de G contenant S et tels que (G : T) soit
remier à p. Elle est partiellement ordonnée par inclusion
escendante, et même inductivement ordonnée vu que l'inter-
ection d'une famille totalement ordonnée de tels sous-
roupes contient S et est d'indice premier à p par la
rop. 2. Elle contient donc un élément minimal, soit T.
e dis que T est un p-groupe. Dans le cas contraire, il
xisterait un sous-groupe ouvert normal U de G tel que
$T : T \cap U)$ ne soit pas une puissance de p. En prenant
n sous-groupe de Sylow du groupe fini $T/T \cap U = TU/U$,
our un nombre premier qui ne soit pas égal à p, on trouve
n sous-groupe ouvert V de G tel que $(T : T \cap V)$ soit
remier à p, et par conséquent $(S : S \cap V)$ premier à p
ussi. Comme S est un p-groupe, on doit avoir
$= S \cap V$, c'est-à-dire que V con tient S, et donc
$\cap V$ contient S aussi. Ceci contredit la minimalité de

T, et montre que T est un p-groupe d'index premier à p, c'est-à-dire un p-sous-groupe de Sylow.

Soient maintenant S_1, S_2 deux p-sous-groupes de Sylow de G. Soit $S_1(U)$ l'image de S_1 par l'homomorphisme $G \to G/U$ où U est ouvert normal dans G. Alors $(G/U : S_1U/U)$ divise $(G : S_1U)$ et est donc premier à p. Il s'ensuit que $S_1(U)$ est un groupe de Sylow de G/U. Il existe donc un élément σ de G tel que $S_2(U)$ soit le conjugué de $S_1(U)$ par $\sigma(U)$. Soit F_U l'ensemble de ces σ. C'est un ensemble fermé, et l'intersection d'un nombre fini des F_U n'est pas vide, de nouveau en vertu du fait qu'on connaît le théorème pour les groupes finis. Soit σ dans l' intersection de tous les F_U. Alors S_1^{σ} et S_2 ont la même image par les homomorphismes $G \to G/U$ pour tout U normal ouvert dans G. Ils sont donc égaux et le théorème est démontré.

Nous allons maintenant considérer une nouvelle catégorie de modules sur G.

Soit G de type Galois et $A \in \mathrm{Mod}(G)$ un G-module ordinaire. Posons $A_o = \bigcup A^U$ l'union étant prise sur les sous-groupes U ouverts normaux de G. Alors A_o est un G-sous-module de A et $(A_o)_o = A_o$. On désigne par Galm(G) la catégorie des G-modules A tels que $A = A_o$. On l'appelle la catégorie des modules de Galois. On remarque que si on donne au module A la topologie discrète, c'est la catégorie des G-modules tels que G opère continûment, l'orbite de chaque élément étant finie, et le sous-groupe d'isotropie étant ouvert. Les morphismes dans cette catégorie sont les G-homomorphismes ordinaires.

et on écrira de nouveau $Hom_G(A,B)$ pour $A,B \in Galm(G)$.

Galm(G) *est une catégorie abélienne*.

Soit $A \in Galm(G)$ et $B \in Mod(G)$. Alors

$$Hom_G(A,B) = Hom_G(A,B_o)$$

car l'image de A par un morphisme est automatiquement contenue dans B_o. De ceci, on tire:

PROPOSITION 4 - *Soit* G *de type Galois*. *Si* $B \in Mod(G)$, *est injectif dans* Mod(G), *alors*, B_o *est injectif dans* Galm(G). *Si* $A \in Galm(G)$ *il existe un injectif* M *dans* Galm(G) *et un monomorphisme* $u : A \to M$.

On peut donc définir les foncteurs dérivés du foncteur $A \mapsto A^G$ qu'on désignera encore par H^o_G.

PROPOSITION 5 - *Soit* G *de type Galois*, *et* N *un sous-groupe normal fermé de* G. *Soit* $A \in Galm(G)$. *Alors si* A *est injectif dans* Galm(G), A^N *est injectif dans* Galm(G/N).

Démonstration: Si $B \in Galm(G/N)$ on peut considérer B comme un objet dans Galm(G), et on a évidemment $Hom_G(B,A) = Hom_{G/N}(B,A^N)$ car l'image de B par un G-homomorphisme sera automatiquement dans A^N. Si on considère ces Hom comme foncteurs de B, on voit immédiatement que le second est exact si le premier l'est.

. *Cohomologie*

(a) *Existence et unicité*. On peut définir les groupes

de cohomologie aussi au moyen du complexe standard. Pour $A \in \mathrm{Galm}(G)$, posons $C^r(G,A) = 0$ si $r < 0$, $C^o(G,A) = A$, pour $r > 0$, et $C^r(G,A)$ = groupe des applications $f : G^r \to A$ du produit de G avec lui-même r fois dans A, qui sont continues pour la topologie discrète dans A. On définit

$$\delta_r : C^r(G,A) \to C^{r+1}(G,A)$$

par la formule usuelle comme au chapitre I, et on voit que $C^*(G,A)$ est un complexe. En outre on a:

PROPOSITION 6 - _Le foncteur_ $A \mapsto C^*(G,A)$ _est un foncteur exact de_ Galm(G) _dans la catégorie des complexes de groupes abéliens_.

Démonstration: Si on se donne une suite exacte:

$$0 \to A' \to A \to A'' \to 0$$

dans Galm(G), alors la suite de complexes associés est exacte, la surjectivité à droite étant due au fait que les modules ont la topologie discrète, et que toute application continue $f : G^r \to A''$ se relève donc a une application continue de G^r dans A.

En vertu de la proposition 5, on trouve donc un δ-foncteur défini pour tous les degrés $r \in \mathbf{Z}$, et 0 pour $r < 0$, qui est tel que pour la dimension 0 il est isomorphe au foncteur $A \mapsto A^G$. On va voir qu'il s'annule sur les injectifs pour $r > 0$, et par conséquent en vertu du théorème d'unicité, que ce δ-foncteur est isomorphe au foncteur dérivé de $A \mapsto A^G$. On désignera de nouveau notre foncteur par H_G^r ceci ne prêtant à aucune confusion avec le foncteur du chapitre I.

THEOREME 1 - <u>Soit</u> G <u>un groupe de type Galois</u>. <u>Alors le foncteur cohomologique</u> H_G <u>sur</u> Galm(G) <u>est tel que</u>:

1.) $H^r(G,A) = 0$ <u>pour</u> $r < 0$.

2.) $H^o(G,A) = A^G$

3.) $H^r(G,A) = 0$ <u>si</u> A <u>est injectif</u>, $r > 0$.

<u>Démonstration</u>: On considère un cocycle $f(\sigma_1,\ldots,\sigma_r)$ avec $r \geqq 1$. Il existe un sous-groupe U de G normal et ouvert tel que f ne dépende que des cosets de U. Soit A injectif dans Galm(G). Il existe un sous-groupe ouvert normal V tel que toutes les valeurs de f soient dans A^V du fait que f ne prend qu'un nombre fini de valeurs. Soit $W=U \cap V$. Alors on voit que f est l'inflation d'un cocycle $\bar{f}$ de G/W dans A^W. On sait par la proposition 5, que A^W est injectif dans Mod(G/W). Donc $\bar{f} = \delta\bar{g}$ avec une cochaine $\bar{g}$ de G/W dans A^W, et on voit que $f = \delta g$ si g est l'inflation de $\bar{g}$ à G. De plus, g sera une cochaine continue, et on a donc montré que f est un cobord, et donc que $H^r(G,A) = 0$.

En outre, l'argument qui précède montre aussi le résultat suivant.

THEOREME 2 - <u>Soit</u> G <u>un groupe de type Galois, et</u> $A \in$Galm(G). <u>Alors</u> $H^r(G,A) \approx \text{lim. dir. } H^r(G/U,A^U)$, <u>la limite étant prise sur les sous-groupes ouverts normaux</u>

U <u>de</u> G <u>par rapport à l'inflation</u>, <u>et c'est un groupe de torsion pour</u> $r > 0$.

On voit donc qu'on peut considérer notre foncteur cohomologique de trois façons: foncteur dérivé, limite de groupe de cohomologie de groupes finis, homologie du complexe standard.

<u>Remarque</u>: Soit G un groupe de type Galois. Soit $A \in Galm(G)$ et supposons que G opère trivialement sur A. Alors on a:

$$H^1(G,A) = \text{Cont. Hom}(G,A)$$

i.e. $H^1(G,A)$ est isomorphe au foncteur des homomorphismes continus de G dans A. Cela se voit immédiatement à partir des cocycles standards, ceux-ci vérifiant la formule

$$f(\sigma) + f(\tau) = f(\sigma\tau)$$

compte tenu de l'action triviale. Soit maintenant G un p-groupe de type Galois, et prenons $A = Z_p$. On a le critère utile, qui sera employé constamment dans la suite:
<u>Si</u> $H^1(G,A) = 0$ <u>alors</u> $G = 1$, <u>i.e. est trivial</u>. En effet, si $G \neq 1$, on peut trouver un sous-groupe ouvert U tel que G/U soit un p-groupe fini non trivial, et ensuite un homomorphisme non trivial $\phi : G/U \to Z_p$ qui, composé avec l'homomorphisme canonique $G \to G/U$ donnerait lieu à un élément de $H^1(G,A) \neq 0$.

(b) <u>Changement de groupes</u>. La théorie des changements de groupes se fait comme avant. Soit $\lambda : G' \to G$ un homomorphisme continu d'un groupe de type Galois dans un autre. Alors λ donne lieu à un foncteur exact:

$$T : \mathrm{Galm}(G) \to \mathrm{Galm}(G'),$$

c'est-à-dire que tout objet $A \in \mathrm{Galm}(G)$ peut être considéré comme module de Galois de G'. Donc si on se donne un morphisme

$$\phi : A \to A'$$

dans $\mathrm{Galm}(G')$, avec $A \in \mathrm{Galm}(G)$ et $A\ \mathrm{Galm}(G')$ où on fait l'abus de notation en écrivant $A = T_\lambda\ (A)$, la paire (λ,ϕ) détermine un homomorphisme:

$$H^r(\lambda,\phi) = (\lambda,\phi)_* : H^r(G,A) \to H^r(G',A')$$

et ceci fonctoriellement, exactement comme pour les groupes discrets.

On peut aussi le voir explicitement sur le complexe standard, car on voit immédiatement que l'on a un morphisme de complexes

$$C^*(\lambda,\phi) : C^*(G,A) \to C^*(G',A'),$$

à savoir celui qui applique une cochaine f sur la cochaine $\phi \circ f \circ \lambda^r$.

En particulier, nous avons l'<u>inflation</u>, le <u>lifting</u>, la <u>restriction</u> et la <u>conjugaison</u>

$$\begin{aligned}
\mathrm{inf.} &: H^r(G/N,A^N) \to H^r(G,A)\\
\mathrm{lif.} &: H^r(G/N,B) \to H^r(G,B)\\
\mathrm{res.} &: H^r(G,A) \to H^r(S,A)\\
\sigma_* &: H^r(S,A) \to H^r(S^\sigma,\sigma^{-1}A)
\end{aligned}$$

chaque fois que N est fermé normal dans G, et S fermé

dans G, σ quelconque dans G.

Toutes les relations de commutativité énoncées au chapitre II sont évidemment valables dans le cas présent, et nous renverrons toujours au résultat correspondant de ce chapitre quand nous voudrons l'appliquer aux groupes de type Galois.

Nous avons aussi le transfert

$$tr : H^r(U,A) \to H^r(G,A)$$

défini pour U ouvert pas nécessairement normal dans G, et $A \in Galm(G)$. Tous les résultats du chapitre II, § 1, énoncés pour le transfert, s'appliquent dans le cas présent, vu que les démonstrations reposent uniquement sur le théorème d'unicité, et la démonstration du morphisme en dimension 0, joints avec le fait que les injectifs effacent H en dimension > 0.

(c) Limites. Nous avons déjà vu de façon naïve que notre foncteur cohomologique est une limite. Nous pouvons énoncer un théorème général comme suit:

THEOREME 3 - Soient $(G_\alpha, \lambda_{\alpha\beta})$ et $(A_\alpha, \phi_{\alpha\beta})$ un système projectif de groupes de type Galois, et un système injectif de groupes abéliens respectivement, sur le même ensemble d'indices. Supposons que pour chaque α, on ait $A_\alpha \in Galm(G_\alpha)$ et que pour $\alpha \leqq \beta$, les homomorphismes $\lambda_{\alpha\beta} : G_\beta \to G_\alpha$ et $\phi_{\alpha\beta} : A_\alpha \to A_\beta$ soient compatibles. Soit $G = \text{lim.inv. } G_\alpha$ et $A = \text{lim. dir. } A_\alpha$. Alors on peut définir canoniquement sur A une structure de G-module de Galois, telle que pour chaque α, les applications: $\lambda_\alpha : G \to G_\alpha$ et $\phi_\alpha : A_\alpha \to A$ soient compatibles. En outre, on a un isomorphisme de complexes:

$$\theta : C^*(G,A) \approx \text{lim. dir. } C^*(G_\alpha, A_\alpha)$$

et par conséquent un isomorphisme

$$\theta_* : H^r(G,A) \approx \text{lim. dir. } H^r(G_\alpha, A_\alpha).$$

Démonstration: C'est en fait une généralisation de l'argument déjà donné pour montrer le théorème 1. Il suffit d'observer que chaque cochaine $f : G^r \to A$ est uniformément continue et, par conséquent, qu'il existe un sous-groupe ouvert normal U de G tel que f ne dépende que des cosets de U, et ne prenne qu'un nombre fini de valeurs. Ces valeurs seront toutes représentées dans l'un des A_α, et par conséquent il existe un sous-groupe ouvert normal U_α de G_α tel que $\lambda_\alpha^{-1}(U_\alpha) \subset U$, et on peut construire une cochaine $f_\alpha : G_\alpha^r \to A_\alpha$ dont l'image soit f dans $C^r(G,A)$. De même, on trouve que si l'image de f_α dans $C^r(G,A)$ est 0, alors son image dans $C^r(G_\beta, A_\beta)$ est déjà 0 pour un $\beta > \alpha$ suffisamment grand.

Nous appliquerons le résultat précédent dans divers cas, les plus importants étant:

a.) Quand les G_α sont les groupes facteurs G/U où U est ouvert normal dans G, les $\lambda_{\alpha\beta}$ étant alors surjectifs.

b.) Quand les G_α parcourent les sous-groupes ouverts V contenant un sous-groupe fermé S de G, les $\lambda_{\alpha\beta}$ étant alors des inclusions.

Si nous faisons abstraction de ces deux cas, nous avons la situation suivante:

LEMME 1 - <u>Soit</u> G <u>de type Galois</u>, G_α <u>une famille de sous-groupes fermés</u>, <u>et</u> N_α <u>fermé dans</u> G_α <u>et normal dans</u> G_α, <u>indexés par un système</u> (α) "<u>directé</u>", <u>et tels que</u> $N_\beta \subset N_\alpha$ <u>et</u> $G_\beta \subset G_\alpha$ <u>quand</u> $\alpha \leqq \beta$. <u>Alors on a</u>:

$$\text{lim. inv. } (G_\alpha / N_\alpha) = \cap G_\alpha / \cap N_\alpha$$

<u>Démonstration</u>: évidente.

Le théorème 2 donne alors:

COROLLAIRE 1 - <u>Soit</u> G <u>de type Galois</u>, $A \in \mathrm{Galm}(G)$. <u>Alors</u> $H^r(G,A) = \text{lim. dir. } H^r(G/U, A^U)$ <u>la limite étant prise relativement à l'inflation</u>, <u>et</u> U <u>parcourant la famille de sous-groupes ouverts normaux de</u> G, <u>ordonnés par inclusion</u>.

COROLLAIRE 2 - <u>Soit</u> G <u>de type Galois</u>, $A \in \mathrm{Galm}(G)$, S <u>un sous-groupe fermé de</u> G. <u>Alors</u> $H^r(S,A) = \text{lim. inv. } H^r(V,A)$ <u>prise sur les sous-groupes ouverts</u> V <u>contenant</u> S.

COROLLAIRE 3 - <u>Soient</u> G, G_α, N_α <u>comme dans le lemme</u> 1. <u>Soit</u> $A \in \mathrm{Galm}(G)$. <u>Alors si on pose</u> $N = \cap N_\alpha$, <u>on a</u>:

$$H^r(\cap G_\alpha / \cap N_\alpha, A^N) \approx \text{lim. dir. } H^r(G_\alpha / N_\alpha, A^{N_\alpha})$$

<u>la limite étant prise par rapport aux morphismes canoniques</u>.

Bien entendu,les deux premiers corollaires sont des cas particuliers du troisième, mais dans la pratique, nous ne nous servirons que de ceux-là. La démonstration est immédiate, car on a:

$A^N = \cup A^{N_\alpha} = \text{lim. dir. } A^{N_\alpha}$ puisque par hypothèse $A \in \mathrm{Galm}(G)$.

COROLLAIRE 4 - _Soit_ G _de type Galois_, $A \in Galm(G)$. _Alors_

$$H^r(G,A) \approx \text{lim. dir. } H^r(G,E)$$

la limite étant prise relativement aux morphismes d'inclusion $E \subset A$ _quand_ E _parcourt la famille de sous-modules de_ A _de type fini sur_ $\mathbf{Z}$.

Démonstration: D'après la définition de l'opération continue de G sur A, on sait que A est l'union des E et on applique le théorème.

On voit donc que les groupes de cohomologie $H^r(G,A)$ sont des limites de groupes de cohomologie d'un groupe fini opérant sur un module de type fini, et que ce sont des groupes de torsion pour $r > 0$.

COROLLAIRE 5 - _Soit_ m _un entier_ > 0, $A \in Galm(G)$, _et supposons que_ $m : A \to A$ _soit un automorphisme_, i.e. _que_ A _soit uniquement divisible par_ m. _Alors la période d'un élément de_ $H^r(G,A)$ _pour_ $r > 0$ _est un entier premier à_ m. _Si_ $m : A \to A$ _est un automorphisme de_ A _pour tout_ m, _alors on a_ $H^r(G,A) = 0$ _pour_ $r > 0$.

(d) _Foncteur d'effacement_, _représentations induites_. Nous allons définir un foncteur d'effacement M_G sur $Galm(G)$ semblable à celui que nous avons défini sur $Mod(G)$ quand G est discret.

Soit S un sous-groupe fermé de G qu'on suppose de type Galois. Soit $B \in Galm(S)$, et soit $M_G^S(B)$ l'ensemble de toutes les applications continues $g : G \to B$ (B discret) satisfaisant l'identité

$$\sigma g(\tau) = g(\sigma\tau) \qquad \sigma\in S, \quad \tau\in G.$$

On définit l'addition dans $M_G^S(B)$ selon les valeurs des fonctions, et on définit une opération de G par la formule

$$(\tau g)(x) = g(x\tau) \qquad \tau,\ x\in G.$$

Tenant compte de la continuité uniforme, on vérifie immédiatement que $M_G^S(B)\in \mathrm{Galm}(G)$.

Compte tenu de l'existence d'une section continue de G/S dans G, on voit que $M_G^S(B)$ _est isomorphe au module de Galois de toutes les applications continues de_ G/S _dans_ B, et par conséquent nous trouvons le même résultat qu'au chapitre II, que nous résumons dans une proposition:

PROPOSITION 7 - _Les notations étant comme ci-dessus_, M_G^S _est un foncteur covariant_, _additif_, _exact de_ Galm(S) _dans_ Galm(G). _Les bifoncteurs_:

$$\mathrm{Hom}_G(A, M_G^S(B)) \qquad \text{et} \qquad \mathrm{Hom}_S(A,B)$$

sur le produit de Galm(G) _et_ Galm(S) _sont isomorphes_. _Si_ B _est injectif dans_ Galm(S), _alors_ $M_G^S(B)$ _est injectif dans_ Galm(G).

Démonstration: C'est la même qu'avant, vu qu'on a ajouté seulement une structure de continuité uniforme et que le lemme sur l'existence d'une cross section nous permet de répéter la démonstration mutas mutandis.

Comme au chapitre II, nous obtenons le résultat suivant

THEOREME 4 - _Soit_ G _de type Galois_, S _un sous-groupe fermé de_ G. _Alors l'inclusion_ $S \subset G$ _est compatible avec l'homomorphisme_ $g \mapsto g(1)$ _de_ $M_G^S(B)$ _dans_ B, _et on a donc un isomorphisme de foncteurs_:

$$H_G \circ M_G^S \approx H_S$$

En particulier, si $S = 1$, _on a_ $H^r(G, M_G(B)) = 0$ _pour_ $r > 0$.

La démonstration est de nouveau identique à celle du cas où G est abstrait, en prenant $S = 1$ dans la dernière assertion, et en posant $M_G = M_G^1$.

En particulier, nous obtenons un foncteur d'effacement M_G comme avant, à savoir pour $A \in \mathrm{Galm}(G)$, on a une suite exacte:

$$0 \to A \xrightarrow{\varepsilon_A} M_G(A) \to X(A) \to 0$$

où l'on définit ε_A par la formule $\varepsilon_A(a) = g_a$, et $g_a(\sigma) = \sigma a$ pour $\sigma \in G$. On voit comme avant qu'elle splitte.

COROLLAIRE 1 - _Soit_ G _de type Galois_, S _un sous-groupe fermé et_ $B \in \mathrm{Galm}(S)$. _Alors on a_ $H^r(S, M_G^S(B)) = 0$ _pour_ $r > 0$.

Démonstration: Dans le cas où $S = G$, c'est un cas particulier du théorème, en faisant $S = 1$. Si V parcourt la famille de sous-groupes ouverts contenant S, on sait que:

$$H^r(S, A) = \text{lim. dir. } H^r(V, A).$$

En conséquence, il suffira de montrer le résultat quand $S = V$ est ouvert. Mais dans ce cas, $M_G(B)$ est isomorphe dans Galm(V) à un produit fini de $M_G^V(B)$ et on applique le résultat précédent.

COROLLAIRE 2 - Si $A \in \mathrm{Galm}(G)$ est injectif dans Galm(G) alors $H^r(S,A) = 0$ pour S fermé dans G, et $r > 0$.

Démonstration: Dans la suite d'effacement de ε_A, on voit que A est facteur direct de $M_G(A)$, et on applique le corollaire 1.

(e) Cup-produits. La théorie des cup produits se développe exactement comme dans le cas où G est un groupe discret. Comme l'existence avait été démontrée avec le complexe standard, compte tenu d'un théorème général de catégories abéliennes, nous voyons ici qu'on peut faire exactement la même chose. En outre, la catégorie Galm(G) pour G de type Galois est fermée par produits tensoriels (vérification immédiate) de sorte que les produits tensoriels peuvent servir pour factoriser les applications multilinéaires et Galm(G) est une catégorie abélienne multilinéaire: Si $A_1,\ldots,A_n, B \in \mathrm{Galm}(G)$, alors une application $f : A_1,\ldots,A_n \to B$ est dans $L(A_1,\ldots,A_n,B)$ si elle est multilinéaire dans $\mathrm{Mod}(\mathbf{Z})$ et satisfait à la même condition $f(\sigma a_1,\ldots,\sigma a_n) = \sigma f(a_1,\ldots,a_n)$ que dans le cas où G est discret.

Nous obtenons donc l'existence et l'unicité du cup-produit, et celui-ci est complet, i.e. satisfait à la propriété des trois suites exactes, comme avant. De nouveau, on a les mêmes relations de commutativité avec le transfert, restriction, inflation et conjugaison.

(f) <u>Suite spectrale</u>. Les conditions s'appliquent sans changement, compte tenu de la continuité uniforme des cochaines. On a un foncteur $F : \mathrm{Galm}(G) \to \mathrm{Galm}(G/N)$ pour N fermé normal dans G, défini par $A \mapsto A^N$. Le groupe de type Galois G/N opère alors sur $H^r(N,A)$ par conjugaison, et on a:

PROPOSITION 8 - *Si* N *est fermé normal dans* G, *alors* $H^r(N,A)$ *est dans* $\mathrm{Galm}(G/N)$ *pour* $A \in \mathrm{Galm}(G)$.

Démonstration: On sait par la définition de σ_* que si $\sigma \in N$, alors $\sigma_* = \mathrm{id}$. Il faut montrer que pour tout α $H^r(N,A)$ il existe un ouvert U tel que $\sigma_* \alpha = \alpha$ pour tout $\sigma \in U$. Mais par shifting de dimensions, il existe des suites exactes et des cobords $\delta_1,\ldots,\delta_r$ tels que $\alpha = \delta_1 \ldots . \delta_r \alpha_o$ avec $\alpha_o \in H^o(N,B)$ pour $B \in \mathrm{Galm}(G)$ (on se sert du foncteur d'effacement ε_A r fois). On a:

$$\sigma_* \alpha = \sigma_* \delta_1 \ldots \delta_r \alpha_o$$

$$= \delta_1 \ldots . \delta_r \sigma_* \alpha_o$$

et on applique le résultat en dimension 0, celui-ci étant évident vu que σ_* désigne l'opération de G qui est continue.

Comme notre foncteur $A \mapsto A^N$ transforme un injectif en un injectif, on a la suite spectrale du composé de foncteurs dérivés. Les calculs explicites qui donnent l'identification de la restriction et de l'inflation avec les edges-homomorphismes restent aussi valables dans le cas présent (immédiat).

(g) <u>Groupes de Sylow</u>, <u>groupes cycliques</u>. Comme application du fait que nos groupes de cohomologie sont des limites de groupes dans le cas fini, on trouve:

PROPOSITION 9 - *Soit* G *de type Galois*, $A \in Galm(G)$ *et* S *un sous-groupe fermé de* G. *Si* $(G : S)$ *est premier à* p, (p *premier*) *alors la restriction*:

$$res : H^r(G,A) \to H^r(S,A)$$

induit une injection sur $H^r(G,A,p)$.

Démonstration: Si S est ouvert dans G, on a la formule du transfert et de la restriction,

$$tr \circ res(\alpha) = (G : V)\alpha$$

qui montre notre assertion. Le cas général s'ensuit, compte tenu du fait que $H^r(S,A) = \text{lim. dir. } H^r(V,A)$ pour V ouvert contenant S.

PROPOSITION 10 - *Soit* G *un groupe de type Galois*, *et cyclique infini*, *c'est-à-dire la complétion d'un groupe cyclique infini par rapport aux sous-groupes d'indice fini. Alors on a* $H^r(G,A) = 0$ *pour* $A \in Galm(G)$ *et* $r \geqq 3$, *et si* A *est de torsion*, *pour* $r \geqq 2$.

Démonstration: C'est un cas particulier de la commutation de l'inflation avec la périodicité pour le cas cyclique.

Plus généralement, un groupe de type Galois sera dit *cyclique* si pour chaque sous-groupe ouvert U, G/U est cyclique. Si p est premier et p^{∞} divise $(G : 1)$, alors $H^r(G,A,p) = 0$ pour tout $A \in Galm(G)$.

Si on se donne un groupe cyclique infini discret, on peut le compléter par exemple aussi par rapport aux sous-groupes d'indice une puissance de p. On obtient alors les entiers p-adiques, auxquels on peut aussi appliquer la remarque précédente.

Nous verrons au numéro suivant que de tels groupes ont la dimension cohomologique 1.

Enfin, on remarquera que si G est un p-groupe, de type Galois, alors pour $r > 0$, $H^r(G,A)$ est p-primaire. De même si A est de torsion et p-primaire, et G de type Galois, alors pour $r > 0$, $H^r(G,A)$ est p-primaire.

3. Dimension Cohomologique

Soit G un groupe de type Galois. On désignera par $Galm_t(G)$ la catégorie abélienne constituée par les modules de torsion dans $Galm(G)$, i.e. les objets A de $Galm(G)$ tels que pour tout $a \in A$, il existe un entier $n \neq 0$ tel que $na = 0$. Si p est un nombre premier, et $A \in Galm(G)$, on désignera par A_t (resp. $A_{(p)}$) le sous-module de A constitué par les éléments de torsion (resp. les éléments $a \in A$ tels qu'il existe une puissance p^r de p, $r > 0$, et $p^r a = 0$). Si on désigne par A_m le sous-module de A constitué par les éléments $a \in A$ tels que $ma = 0$, m entier $\neq 0$, on a donc:

$$A_t = \bigcup A_m, \qquad\qquad A_{(p)} = \bigcup A_{p^r}$$

la première union étant prise sur tous les entiers $m > 0$, et la seconde sur les entiers $r > 0$. La catégorie abélienne de tous les objets $A \in Galm(G)$ tels que $A = A_{(p)}$

sera notée $\mathrm{Galm}_p(G)$.

Soit n un entier $\geqq 0$. On définit la notion de dimension cohomologique, en abrégé cd, et de dimension cohomologique stricte, en abrégé scd, de la façon suivante:

$$\mathrm{cd}(G) \leqq n \Leftrightarrow H^r(G,A) = 0 \quad \text{pour tout} \quad r>n, \quad \text{et} \quad A \in \mathrm{Galm}_t(G)$$

$$\mathrm{cd}_p(G) \leqq n \Leftrightarrow H^r(G,A,p) = 0 \quad \text{pour tout} \quad r>n, \quad \text{et} \quad A \in \mathrm{Galm}_t(G)$$

$$\mathrm{scd}(G) \leqq n \Leftrightarrow H^r(G,A) = 0 \quad \text{pour tout} \quad r>n, \quad \text{et} \quad A \in \mathrm{Galm}(G)$$

$$\mathrm{scd}_p(G) \leqq n \Leftrightarrow H^r(G,A,p) = 0 \quad \text{pour tout} \quad r>n, \quad \text{et} \quad A \in \mathrm{Galm}(G).$$

On notera que la dimension cohomologique est définie au moyen de modules de torsion, et la stricte au moyen de modules quelconques (tous dans $\mathrm{Galm}(G)$ bien entendu).

Comme on a:

$$H^r(G,A) = \amalg H^r(G,A,p)$$

on voit que:

$$\mathrm{cd}(G) = \sup_p \left\{ \mathrm{cd}_p(G) \right\}$$

$$\mathrm{scd}(G) = \sup_p \left\{ \mathrm{scd}_p(G) \right\}.$$

Pour tout $A \in \mathrm{Galm}_t(G)$, on a $A = \coprod_p A_{(p)}$ la somme étant directe, prise sur tous les nombres premiers p. On a donc

$$H^r(G,A) = \amalg H^r(G,A_{(p)})$$

Pour étudier $cd_p(G)$, il nous suffira de regarder $H^r(G,A_{(p)})$ car si on désigne par $A'_{(p)}$ le sous-module $\cup A_m$ l'union étant prise sur les m premiers à p, on voit que $A'_{(p)}$ est uniquement divisible par p^r pour tout $r > 0$, i.e. p^r est un automorphisme. En conséquence, $p^r_* = H^r(p^r)$ est un automorphisme de $H^r(G,A'_{(p)})$. Mais on sait que nos groupes de cohomologie sont des groupes de torsion pour $r > 0$.

En conséquence $H^r(G,A'_{(p)})$ ne contient aucun élément dont la torsion soit une puissance de p, et on trouve:

PROPOSITION 11 - _Soit_ A $Galm_t(G)$. _Alors l'homomorphisme de_ $H^r(G,A_{(p)})$ _dans_ $H^r(G,A,p)$ _induit par l'inclusion_ $A_{(p)} \subset A$ _est un isomorphisme pour tout_ r.

COROLLAIRE - _Dans la définition de_ $cd_p(G)$, _on peut remplacer la condition_ $A \in Galm_t(G)$ _par_ $A \in Galm_p(G)$.

On va voir que la dimension stricte ne peut différer que par une unité de l'autre:

PROPOSITION 12 - _Soit_ G _de type Galois_, p _premier_. _Alors_:

$$cd_p(G) \leqq scd_p(G) \leqq cd_p(G) + 1$$

et ces inégalités sont aussi valables si on omet le p.

Démonstration: La première inégalité est triviale. Considérons pour la seconde, les suites exactes:

$$0 \to pA \xrightarrow{i} A \to A/pA \to 0$$

$$0 \to A_p \to A \xrightarrow{j} pA \to 0$$

et les suites exactes de cohomologie correspondantes:

$$H^{r+1}(pA) \xrightarrow{i_*} H^{r+1}(A) \longrightarrow H^{r+1}(A/pA)$$

$$H^{r+1}(A_p) \longrightarrow H^{r+1}(A) \xrightarrow{j} H^{r+1}(pA) \longrightarrow 0$$

si on suppose $cd_p(G) \leqq n$ et $r > n$.

Comme on a $ij = p$, on trouve $i_* j_* = p_* = p$. Supposons que $cd_p(G) \leqq n$. On a $H^{r+1}(A_p) = 0$ par définition, et aussi $H^{r+1}(A/pA) = 0$. On voit que j_* est bijectif et que i_* est surjectif. Donc p_* est surjectif, i.e. $H^r(A)$ est divisible par p, et donc par une puissance quelconque de p. Les éléments de $H^r(G,A,p)$ étant de torsion p-primaire, il s'ensuit que l'on a $H^{r+1}(G,A,p) = 0$. On démontre de même le résultat quand on omet le p.

Pour démontrer le résultat suivant, nous aurons besoin d'un lemme sur notre foncteur M_G^S.

LEMME 1 - Soit G de type Galois, S un sous-groupe fermé. Alors si $B \in Galm_t(S)$ (resp. $Galm_p(S)$), alors $M_G^S(B)$ est dans $Galm_t(G)$ (resp. $Galm_p(G)$). Si en outre

B *est de type fini (resp. fini) considéré comme* Z-*module, et* S *est ouvert, il en est de même de* $M_G^S(B)$.

Démonstration: La démonstration est immédiate à partir des définitions.

PROPOSITION 13 - *Soit* S *un sous-groupe fermé de* G. *Alors* $cd_p(S) \leqq cd_p(G)$ (*et* $scd_p(S) \leqq scd_p(G)$) *et on a l'égalité si* (G : S) *est premier à* p.

Démonstration: On sait que $H^r(G, M_G^S(B))$ est isomorphe à $H^r(S,B)$ pour tout B Galm(S). Nos assertions sont alors conséquences immédiates des définitions, avec le fait que si (G : S) est premier à p, alors la restriction est une injection sur la partie p-primaire (prop. 9).

Comme cas particulier, on trouve:

COROLLAIRE 1 - *Soit* G_p *un sous-groupe de Sylow de* G. *Alors* $(s)cd_p(G) = (s)cd_p(G_p) = (s)cd(G_p)$.

COROLLAIRE 2 - *On a* $(s)cd(G) = \sup_p \{(s)cd(G_p)\}$.

Nous allons maintenant poursuivre exclusivement l'étude de la dimension et nous laissons de côté la dimention stricte.

Tout d'abord, on a un critère utile pour la dimension en fonction de modules faciles à décrire.

PROPOSITION 14 - *On a* $cd_p(G) \leqq n$ *si et seulement si* $H^{n+1}(G,E) = 0$ *pour tout élément* $E \in Galm(G)$ *qui est fini, d'ordre une puissance de* p, *et est un module simple sur* G.

Démonstration: L'implication dans un sens est triviale, compte tenu du fait que E est uniquement divisible par m premier à p, et donc que $H^{n+1}(G,E) = H^{n+1}(G,E,p)$.

Réciproquement, supposons $H^{n+1}(G,E) = 0$ pour E du type prescrit. Soit A dans $Galm_t(G)$ d'ordre fini une puissance de p. Si $A \neq 0$, on a une suite exacte:

$$0 \to A' \to A \to A'' \to 0$$

avec A' simple. L'ordre de A'' est plus petit que celui de A, et la suite exacte de cohomologie montre, avec une induction, que $H^{n+1}(G,A) = 0$. Soit maintenant A dans $Galm_p(G)$. Alors A est limite directe de sous-modules d'ordre fini, et on applique le corollaire 4 du théorème 2 (i.e. nos groupes de cohomologie sont limites de ceux pris dans les E). On trouve alors $H^{n+1}(G,A) = 0$ pour $A \in Galm_p(G)$. Si on se sert du foncteur d'effacement M_G, on peut alors procéder par induction compte tenu du fait qu'il transforme $Galm_p(G)$ dans $Galm_p(G)$, et on trouve $H^r(G,A) = 0$ pour $r > n$ et $A \in Galm_p(G)$. On applique alors le corollaire de la prop. 11.

LEMME 2 - Soit G un p-groupe, et $A \in Galm_p(G)$. Alors si $A^G = 0$ on doit avoir $A = 0$. Le seul élément $A \in Galm_p(G)$ qui soit un module simple est $\mathbf{Z}/p\mathbf{Z} = Z_p$ (à un isomorphisme près).

Démonstration: Nous avons déjà démontré ce lemme pour le cas où G est fini. Comme G opère continument sur A, on se ramène à ce cas immédiatement en prenant l'orbite d'un élément de A.

THEOREME 5 - <u>Soit</u> $G = G_p$ <u>un</u> p-<u>groupe</u>. <u>Alors</u> $cd(G) \leq n$ <u>si et seulement si</u> $H^{n+1}(G,\mathbf{Z}/p\mathbf{Z}) = 0$.

THEOREME 6 - <u>Soit</u> G <u>de type Galois</u>. <u>Alors les conditions suivantes sont équivalentes</u>: $cd(G) = 0$, $scd(G) = 0$, $G = 1$. <u>Si</u> G <u>est un</u> p-<u>groupe</u>, <u>on a</u> $cd_p(G) = 0 \Rightarrow G = 1$.

<u>Démonstration</u>: Il suffira évidemment de montrer que $cd(G) = 0$ implique la trivialité de G. Soit $cd(G) = 0$. Pour tout p-sous-groupe de Sylow de G, on a $cd(G_p) = 0$ aussi (représentation induite) et $cd(G_p) = cd_p(G_p)$. On a donc $H^1(G_p,Z_p) = 0$. Mais l'action de G_p étant triviale sur Z_p, H^1 s'identifie avec les homomorphismes continus

$$\text{cont hom}(G_p,Z_p).$$

Si $G \neq 1$, il existe un sous-groupe normal ouvert U tel que G/U soit un p-groupe fini, inégal à 1. On pourrait alors construire un homomorphisme non trivial de G/U dans Z_p, et ceci contredirait notre hypothèse.

Pour montrer que certains groupes de cohomologie ne sont pas nuls, en certaines dimensions plus grandes qu'un entier, on a le critère suivant:

LEMME 3 - <u>Soit</u> G <u>un</u> p-<u>groupe</u>, <u>et assumons</u> $cd(G) = n < \infty$. <u>Alors pour tout</u> $E \in Galm_p(G)$ <u>d'ordre fini</u>, <u>et</u> $E \neq 0$, <u>on a</u> $H^n(G,E) \neq 0$.

<u>Démonstration</u>: On a une suite exacte:

$$0 \to E' \to E \to Z_p \to 0$$

avec un sous-module maximal E' de E par le lemme 2. Comme $H^n(G,Z_p) \neq 0$ par hypothèse, on a, encore par hypothèse, la suite exacte:

$$H^n(G,E) \to H^n(G,Z_p) \to H^{n+1}(G,E') = 0$$

ce qui montre que $H^n(G,E)$ ne peut être trivial.

Nous donnons comme application un raffinement de la prop. 13.

PROPOSITION 15 - Soit G de type Galois, S fermé dans G. Si $ord_p(G : S)$ est fini, et $cd_p(G) < \infty$, alors $cd_p(S) = cd_p(G)$.

Démonstration: Soit S_p un p-sous-groupe de Sylow de S et soit G_p un ditto de G qui le contienne. Alors:

$$\begin{aligned} ord_p(G_p : S_p) + ord_p(G : G_p) &= ord_p(G : S_p) \\ &= ord_p(G : S) + ord_p(S : S_p). \end{aligned}$$

Donc $ord_p(G_p : S_p) = ord_p(G : S)$. Ceci nous réduit au cas où G est un p-groupe, et S ouvert dans G. Supposons $n = cd\ G < \infty$. Alors on a:

$$H^n(S,Z_p) = H^n(G,M_G^S(Z_p)) \neq 0$$

compte tenu du lemme 3, puisque $M_G^S(Z_p)$ a $p^{(G : S)}$ élémen

COROLLAIRE 1 - <u>Si</u> $0 < \mathrm{ord}_p(G : 1) < \infty$ <u>alors</u> $cd_p(G) = \infty$.

COROLLAIRE 2 - <u>Si</u> G <u>est un</u> p-<u>groupe fini</u>, <u>alors</u> $H^r(G,Z_p) \neq 0$ <u>pour tout</u> $r > 0$.

On voit donc que la dimension cohomologique n'est intéressante que pour des groupes infinis. Nous donnerons plus bas des exemples de groupes de Galois de dimension cohomologique finie.

4. <u>Dimension Cohomologique</u> $\leqq 1$

Remarquons d'abord que si G est de type Galois et $scd_p(G) \leqq 1$ alors $scd_p(G) = 0$ et donc tout p-sous-groupe de Sylow G_p de G est trivial. En effet, on a par hypothèse:

$$0 = H^2(G_p,\mathbf{Z}) \approx H^1(G_p,\mathbf{Q}/\mathbf{Z}) = \text{cont Hom}(G_p,\mathbf{Q}/\mathbf{Z})$$

avec la suite exacte de $\mathbf{Z}$, Q et $\mathbf{Q}/\mathbf{Z}$, le fait que $\mathbf{Q}$ est uniquement divisible, et donc annule la cohomologie en dimension > 0. On a vu à la fin du numéro précédent que si $G_p \neq 1$, alors on peut trouver un homomorphisme continu non trivial de G_p dans $Z_p \subset Q/Z$, et on voit donc que $G_p = 1$. C.Q.F.D.

Nous considérons maintenant la condition $cd_p(G) \leqq 1$, et nous verrons que cette condition caractérise les p-groupes libres.

On dira qu'un groupe de type Galois est p-<u>extensif</u> si et seulement si pour chaque groupe fini F et chaque p-sous-groupe E abélien, normal dans F, et chaque homomorphisme continu $\phi : G \to F/E$ il existe un homomorphisme continu $\bar{\Phi} : G \to F$ qui rende le diagramme suivant commutatif.

$$\begin{array}{ccc} & \overset{\phi}{\nearrow} & F \\ & & \downarrow \\ G & \underset{\phi}{\rightarrow} & F/E \end{array}$$

L'application verticale est bien entendu l'homomorphisme canonique.

PROPOSITION 16 - <u>On a</u> $cd_p(G) \leqq 1$ <u>si et seulement si</u> G <u>est</u> p-<u>extensif</u>.

<u>Démonstration</u>: Supposons d'abord que $cd_p(G) \leqq 1$. On se donne F, E, ϕ comme ci-dessus. Comme d'habitude on peut considérer E comme un F/E module, l'opération étant celle de conjugaison (Cf. Zassenhaus ou le chapitre VII) et par conséquent comme G-module de Galois au moyen de ϕ, c'est-à-dire que pour $\sigma \in G$ et $x \in E$, on définit

$$\sigma x = \phi(\sigma)x.$$

Pour chaque $\sigma \in F/E$, soit u_σ un représentant dans F. Posons $e_{\sigma\,\tau} = u_\sigma u_\tau u_{\sigma\tau}^{-1}$. Alors $(e_{\sigma,\tau})$ est un 2-cocycle dans $Z^2(F/E,E)$ et par conséquent pour σ, $\tau \in G$, on voit que $(e_{\phi(\sigma),\phi(\tau)})$ est dans $Z^2(G,E)$. Par hypothèse, il existe une application continue $\sigma \mapsto a_\sigma$ de G dans E telle que $e_{\phi(\sigma),\phi(\tau)} = a_{\sigma\tau}/a_\sigma \sigma a_\tau$. Nous définissons $\bar{\Phi}(\sigma)$ par:

$$\bar{\phi}(\sigma) = a_\sigma u_\phi(\sigma).$$

Par définition, de l'opération de G sur E on a $\sigma a = u_{\phi(\sigma)} a u^{-1}_{\phi(\sigma)}$ et on trouve donc

$$\begin{aligned}
\bar{\phi}(\sigma)\bar{\phi}(\tau) &= a_\sigma u_{\phi(\sigma)} a_\tau u_{\phi(\tau)} = a_\sigma a_\tau^\sigma u_{\phi(\sigma)} u_{\phi(\tau)} \\
&= a_\sigma a_\tau^\sigma e_{\phi(\sigma),\phi(\tau)}\, u_{\phi(\sigma\tau)} \\
&= a_{\sigma\tau} u_{\phi(\sigma\tau)} \\
&= \bar{\phi}(\sigma\tau)
\end{aligned}$$

ce qui montre que $\bar{\phi}$ est un homomorphisme. Il est continu parce que (a_σ) est une cochaine continue, et $\phi(\sigma)$ est continu. Il est en outre évident que $\bar{\phi}$ remonte ϕ, i.e. rend le diagramme commutatif.

Réciproquement, soit E $\text{Galm}_t(G)$ d'ordre fini, égal à une puissance de p, et soit $\alpha \in H^2(G,E)$. On doit montrer que $\alpha = 0$. Comme E est fini, il existe un sous-groupe ouvert normal U de G tel que U laisse E fixe, i.e. $E = E^U$, et E est donc un G/U-module. En prenant s'il le faut un sous-groupe ouvert normal plus petit que U, on peut en outre supposer que α provient de l'inflation d'un élément de $H^2(G/U,E)$, i.e. il existe $\alpha_o \in H^2(G/U, E)$ tel que $\alpha = \inf_G^{G/U} \alpha_o$. Soit F l'extension de groupe de G/U par E correspondant à la classe de α_o, de sorte qu'on a $G/U \approx F/E$, et soit $\phi : G \to F/E$ l'homomorphisme correspondant. Nous sommes alors dans la même situation que dans la première partie de la démonstration, et $e_{\phi(\sigma),\phi(\tau)}$ est un 2-cocycle représentant α. Mais maintenant $\bar{\Phi}$ existe par hypothèse, de sorte que nous définissons $a_\sigma = \bar{\Phi}(\sigma)u^{-1}_{\phi(\sigma)}$. Le même calcul qu'avant montre que:

$$a_{\sigma,\tau} = a_\sigma a_\tau^\sigma e_{\phi(\sigma),\phi(\tau)}$$

et comme (a_σ) est évidemment une cochaine continue, on voit que $e_{\phi(\sigma),\phi(\tau)}$ est un cobord, c'est-à-dire que $\alpha = 0$.

Remarque: Dans la définition de p-extensif on peut supposer sans perte de généralité que ϕ est surjectif (il suffit de remplacer F par le sous-groupe correspondant à l'image $\phi(G)$ dans F/E). Nous ne pouvons pas demander que $\bar{\Phi}$ soit surjectif. Par exemple, soit G le groupe de Galois de la clôture algébrique séparable d'un corps k. Alors F/E est le groupe de Galois d'une extension finie K/k et le problème de trouver un $\bar{\Phi}$ surjectif est celui de trouver une extension Galoisienne finie $L \supset K \supset k$ telle que F soit son groupe de Galois, problème considéré par Iawasawa, Annals 1953.

Nous allons maintenant étendre la propriété d'extensivité à des groupes de type Galois.

PROPOSITION 17 - Soit G de type Galois et p-extensif. Alors le problème d'extension $(G,\phi,F,F/E)$ est résoluble quand F est de type Galois, et E un p-sous-groupe normal fermé de F.

Démonstration: Nous supposons d'abord E fini abélien normal dans F. Il existe alors un sous-groupe ouvert normal U tel que $U \cap E = 1$. Soit $\phi_1 : G \to F/EU$ la composition de $G \xrightarrow{\phi} F/E$ avec le morphisme canonique $F/E \to F/EU$. On peut remonter ϕ_1 à un homomorphisme continu $\bar{\Phi}_1 : G \to F/U$ par p-extensivité pour $F_1 = F/U$ et $E_1 = EU/U \cap E$, et ϕ_1. On a un homomorphisme:

$$(\phi, \bar{\Phi}_1) : G \to (F/E) \times (F/U),$$

et l'application canonique $i : F \to (F/E) \times (F/U)$ est une injection puisque $U \cap E = 1$. L'image de G par $(\phi, \bar{\Phi}_1)$ est contenue dans l'image de i parce que ϕ et $\bar{\Phi}_1$ remontent ϕ_1. Par conséquent $\bar{\Phi} = (\phi, \bar{\Phi}_1) : G \to F$ résout le problème d'extension dans le cas que nous considérons.

Passons maintenant au cas général. On veut remonter $\phi : G \to F/E$. On considère les paires (E_α, ϕ_α) où E_α est un sous-groupe fermé de E normal dans F, et $\phi_\alpha : G \to F/E_\alpha$ remonte ϕ. Par Zorn on obtient une paire maximale que nous appellerons (E, ϕ) de nouveau. Il s'agit de montrer que $E = 1$. Dans le cas contraire, il existerait un élément non trivial θ dans $H^1(E, Z_p)$ i.e. un caractère de G dans Z_p. Il s'annule sur un sous-groupe ouvert V, et donc n'a qu'un nombre fini de conjugués, par des éléments de F, i.e. c'est un module de Galois sur F/E. Si on prend l'intersection du noyau de θ et de ces conjugués, on trouve un sous-groupe fermé E_1 de E, normal dans F, et par la première partie de la proposition on peut remonter ϕ à $\phi_1 : G \to F/E_1$, ce qui contredit l'hypothèse sur (E, ϕ) et termine la démonstration.

Soit maintenant X un ensemble, et $F_o(X)$ le groupe libre engendré par X au sens ordinaire. On considère la famille de sous-groupes normaux $U \subset X$ tels que:

(i) U contienne tous les éléments de X sauf un nombre fini.

(ii) U est d'indice une puissance de p dans $F_o(X)$.

Soit $F_p(X)$ la limite projective de F_o/U prise sur tous ces U. On appellera $F_p(X)$ le p-<u>groupe libre engendré par</u> X. (S'entend, p-groupe de type Galois).

Soit G un p-groupe de Type Galois, et G^* l'intersection de tous les noyaux des homomorphismes continus $\theta : G \rightarrow Z_p$, i.e. des $\theta \in H^1(G,Z_p)$. Alors $H^1(G,Z_p)$ est le groupe des caractères de G et réciproquement, par Pontrjagin.

Par définition, si P est un p-groupe fini, alors les homomorphismes continus $\phi : F_p(X) \rightarrow P$ sont en correspondance biunivoque avec les applications $\phi_o : X \rightarrow P$ telles que $\phi_o(x) = 1$ pour presque tous les $x \in X$. En conséquence, $H^1(F_p(X),Z_p)$ est un espace vectoriel sur Z_p, de dimension égale à la cardinalité de X, et ayant une base qui peut être identifiée avec les éléments de X.

En outre, on voit que $F_p(X)$ est p-extensif, et $cd\ F_p(X) \leqq 1$. En effet, on peut prendre ϕ surjectif dans la définition de p-extensif, et dans cette condition, F est alors un p-groupe fini. On se sert de la liberté de F_p pour voir immédiatement que $F_p(X)$ est p-extensif. Nous allons démontrer la réciproque.

LEMME - *Soit* G *un* p-*groupe de type Galois*, S *un sous-groupe ferme*. *Alors* $SG^* = G$ *implique* $S = G$.

Démonstration: Nakayama. Connu pour les p-groupes finis, et s'étend immédiatement au cas infini.

THEOREME 7 - *Soit* G *un* p-*groupe de type Galois*. *Alors il existe un* p-*groupe libre* $F_p(X)$ *et un homomorphisme*

$$\bar{\phi} : F_p(X) \rightarrow G$$

tel que l'homomorphisme induit sur
$H^1(F_p(X),Z_p) \leftarrow H^1(G,Z_p)$ *soit un isomorphisme*. $\bar{\phi}$ *est alors surjectif*, *et si* $cd(G) \leq 1$, $\bar{\phi}$ *est un isomorphisme*.

Démonstration: Il suffit de prendre pour X une base de $H^1(G,Z_p)$ et de former $F_p(X)$ pour obtenir d'après la discussion qui précède un isomorphisme
$H^1(G,Z_p) \overset{\approx}{\rightarrow} H^1(F_p(X),Z_p)$. Par dualité, on obtient un isomorphisme:

$$F_p(X)/F_p(X)^* \approx G/G^*$$

d'où un homomorphisme

$$\phi : F_p(X) \rightarrow G/G^*.$$

Comme $F_p(X)$ est p-extensif, on peut remonter ϕ à G, i.e.

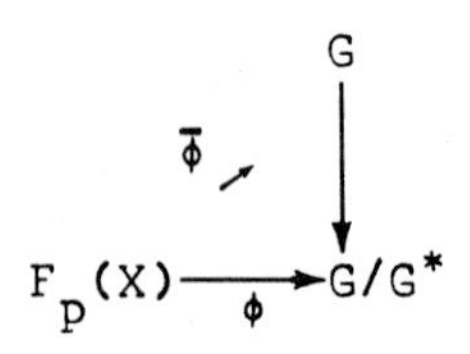

et $\bar{\Phi}$ sera surjectif d'après le lemme. Supposons maintenant que $cd(G) \leqq 1$. Si N est le noyau de $\bar{\Phi}$, on a:

$$0 \to H^1(G,Z_p) \xrightarrow{\text{inf}} H^1(F_p,Z_p) \xrightarrow{\text{res}} H^1(N,Z_p)^G \to H^2(G,Z_p) = 0$$

une suite exacte. On a 0 à droite par hypothèse $cd(G) \leqq 1$. L'inflation est un isomorphisme, et donc $H^1(N,Z_p)^G = 0$. Par un lemme qu'on a déjà vu, on a $H^1(N,Z_p) = 0$, i.e. N n'a que le caractère trivial. Il s'ensuit que $N = 1$, c.q.f.d.

COROLLAIRE - *Soit* G *un* p-*groupe de type Galois. Alors les conditions suivantes sont équivalentes* : G *est libre*, G *est* p-*extensif*, $cd(G) \leqq 1$.

Nous terminons notre discussion de $cd(G) \leqq 1$ pour les groupes facteurs.

Soit G un groupe de type Galois. Soit T l'intersection de tous les sous-groupes de G qui sont des noyaux d'homomorphismes continus de G dans des p-groupes de type Galois. Alors G/T est un p-groupe, qui sera désigné par G(p), et appelé le p-groupe *quotient maximal* de G. On peut aussi caractériser T par les conditions qu'il soit normal, fermé, et satisfasse:

a.) (G : T) est une puissance de p.

b.) $H^1(T,Z_p) = 0$.

est évident si on garde à l'esprit l'équivalence des caactères avec les éléments de H^1.

OPOSITION 18 - Soit G un groupe de type Galois. Alors $_p(G) \leqq 1$ implique $cd_pG(p) \leqq 1$.

monstration: On considère la suite exacte:

$$\rightarrow H^1(G/T,Z_p) \rightarrow H^1(G,Z_p) \rightarrow H^1(T,Z_p)^{G/T} \rightarrow H^2(G/T,Z_p) \rightarrow 0$$

0 de droite étant dû au fait que $cd_p(G) \leqq 1$. Comme vient de le voir, $H^1(T/Z_p) = 0$, d'où $H^2(G/T,Z_p) = 0$, cela suffit.

Dans la théorie de Galois, $G(p)$ est le groupe de lois de la p-extension Galoisienne maximale du corps de se, si G est le groupe de Galois de sa clôture algéique.

Théorème de la Tour

Dans de nombreux cas, on dévissera un groupe G en sous-groupe normal N et un groupe facteur G/N, et va voir que

$$cd(G) \leqq cd(N) + cd(G/N),$$

de même pour p.

On a une suite spectrale,

$^{r,s} = H^r(G/N,H^s(N,A)) \Rightarrow H(G,A)$ pour tout objet

$A \in \mathrm{Galm}(G)$. Il y a une filtration de $H^n(G,A)$ telle que les quotients successifs soient isomorphes à $E_\infty^{r,s}$ pour $r+s = n$, et $E_\infty^{r,s}$ est sous-groupe de groupe facteur de $E_2^{r,s}$. Donc $H^n(G,A)$ sera égal à 0 chaque fois que $H^r(G/N, H^s(N,A)) = 0$, et ce dernier groupe sera égal à dans les cas suivants:

$r > cd(G/N)$ et $s > 0$ ou $A \in \mathrm{Galm}_t(G)$

$r > scd(G/N)$ et s arbitraire

$s > cd(N)$ et $A \in \mathrm{Galm}_t(G)$

$s > scd(N)$ et $A \in \mathrm{Galm}(G)$.

De ceci on tire le théorème.

THEOREME 8 - *Soit* G *de type Galois*, N *un sous-groupe fermé normal*. *Alors pour tout* p,
$cd_p(G) \leqq cd_p(G/N) + cd_p(N)$, *et de même sans le* p.

Comme application, supposons que G/N soit cyclique et $cd_p(N) \leqq 1$. Alors $cd_p(G) \leqq 2$. Cela arrive dans les cas suivants : G = Groupe de Galois de la clôture algébrique d'un corps de nombre, totalement imaginaire, corps p-adique. En effet, dans chaque cas, on peut construire une extension cyclique (maximale non ramifiée pour le local, cyclotomique pour le global), qui décompose G de la manière voulue. On donnera dans le numéro suivant un critère pour déterminer que $cd(N) \leqq 1$ au moyen du groupe de Brauer.

. Groupes de Galois Sur un Corps

Soit k un corps, k_s sa clôture séparable, et
: le groupe de Galois de k_s sur k. Si K est une
:tension Galoisienne, on désigne par $G_{K/k}$ son groupe
: Galois. Alors G_K est normal dans G_k, et le groupe
icteur est $G_{K/k}$. Ces groupes sont de type Galois, topo-
ogie de Krull.

On se sert constamment du théorème 90, à sav oir que
$\cdot(G_{K/k},K^*) = 0$ où K^* est le groupe multiplicatif de K.
. est bien dans $\mathrm{Galm}(G_{K/k})$. Dans le cas additif,
$\cdot(G_{K/k},K^+) = 0$ pour tout r. On le voit en se ramenant
i cas où K est fini, puis en employant le théorème de
i base normale, qui garantit que K^+ est semi-local de
oupe de décomposition réduit à 1. Représentation induite
ir le sous-groupe trivial.

Nous avons d'abord un résultat de caractéristique p.

IEOREME 9 - Soit k de caractéristique $p > 0$ et $k(p)$
: p-extension maximale et $G(p)$ son groupe de Galois.
.ors $\mathrm{cd}\, G(p) \leq 1$, et donc $G(p)$ est un groupe libre.
: nombre de ses générateurs est égal à $\dim_{Z_p}(k^+/\wp k^+)$.

monstration: On rappelle la théorie de Kummer. On a
ie suite exacte:

$$0 \to Z_p \to k_s^+ \xrightarrow{\wp} k_s^+ \to 0$$

où la suite de cohomologie

$$0 \to Z_p \to k^+ \to k^+ \to H^1(G_k, Z_p) \to H^1(G_k, k_s^+) = 0$$

et par conséquent:

$$k^+/\wp k^+ \cong H^1(G_k, Z_p) = \text{Cont Hom}(G_k, Z_p).$$

Comme $k(p)$ est la p-extension galoisienne maximale de k, elle n'a pas d'extension galoisienne de degré une puissance de p, et on a donc une suite exacte:

$$0 \to Z_p \to k(p)^+ \xrightarrow{\wp} k(p)^+ \to 0 .$$

Compte tenu des remarques au début du numéro, on trouve par la suite exacte de cohomologie que $H^2(G(p), Z_p) = 0$, et par le critère standard que $\text{cd}\, G(p) \leqq 1$. En outre, cette même suite exacte (au début) nous donne:

$$k^+ \to k^+ \to H^1(G(p), Z_p) \to H^1(G(p), k(p)^+) = 0$$

d'où un isomorphisme:

$$k^+/\wp k^+ \approx H^1(G(p), Z_p)$$

ce qui nous donne le nombre de générateurs désirés.

Nous passons maintenant à la caractéristique $\neq p$ et nous allons ramener l'étude de la dimension cohomologique à celle de la cohomologie à coefficients dans k_s^*.

THEOREME 10 - _Soit_ k _un corps de caractéristique_ $\neq p$ _contenant une racine primitive_ p-_ième de l'unité_. _Soit_

$k(p)$ _comme avant sa_ p-_extension maximale_, _de groupe_ $G(p)$. _Alors_ $cd(G(p)) \leqq n$ _si et seulement si_ :

(i) $H^n(G(p),k(p)^*)$ _est divisible par_ p

(ii) $H^{n+1}(G(p),k(p)^*) = 0$.

Démonstration: On a une suite exacte:

$$0 \to Z_p \to k(p)^* \xrightarrow{p} k(p)^* \to 0$$

et donc la suite de cohomologie:

$$H^n(k(p)^*) \to H^n(k(p)^*) \to H^{n+1}(Z_p) \to H^{n+1}(k(p)^*) \to H^{n+1}(k(p)^*$$

prise pour $G(p)$. L'énoncé découle trivialement de cette suite.

COROLLAIRE (Kawada) - $G_{k(p)/k}$ _est un_ p-_groupe libre si_ $p = car.k$. _Si_ $p \neq car.k$ _et les racines_ p-_ièmes de_ 1 _sont dans_ k, _alors_ $G_{k(p)/k}$ _est un_ p-_groupe libre si et seulement si_ $H^2(G_{k(p)/k},k(p)\ ) = 0$.

Démonstration: $H^1(k(p)^*) = 0$ toujours, et le reste découle de ce qu'on a fait plus haut.

On peut traduire le théorème 9 en termes de propriétés de la cohomologie à valeurs dans k_s^*.

THEOREME 11 - _Soit_ k _un corps, et_ p _premier_ $\neq car.k$. _Soit_ n _un entier_ $\geqq 0$. _Alors_ $cd_p(G_k) \leqq n$ _si et seulement si_:

(a) $H^n(G_E, k_s^*)$ <u>est divisible par</u> p

(b) $H^{n+1}(G_E, k_s^*, p) = 0$

<u>pour toute extension finie séparable</u> E <u>de</u> k, <u>de degré premier à</u> p.

<u>Démonstration</u>: La suite de Kummer:

$$0 \to Z_p \to k_s^* \xrightarrow{p} k_s^* \to 0$$

donne une suite de cohomologie prise pour G_k :

$$H^n(k_s) \xrightarrow{p} H^n(k_s^*) \to H^{n+1}(Z_p) \to H^{n+1}(k_s^*) \xrightarrow{p} H^{n+1}(k_s^*) \swarrow H^{n+2}(Z_p)$$

Supposons $cd_p(G_k) \leqq n$. Alors $H^{n+1}(Z_p) = H^{n+2}(Z_p) = 0$ par le critère standard prop. 14. Les conditions (a) et (b) sont alors évidentes, compte tenu de la prop. 13. La réciproque se démontre de même du fait que si G_p est un p-groupe de Sylow de G_k, alors $H^r(G_p, k_s^*) = \lim H^r(G_E, k_s^*)$ la limite étant prise sur les extensions finie séparable E de k de degré premier à p, leurs groupes G_E frrmant précisément l'ensemble des sous-groupes ouverts de G_k contenant G_p, ou ses conjugués, ce qui revient au même.

COROLLAIRE - <u>Si</u> $H^2(G_E, k_s^*) = 0$ <u>pour toute extension finie</u>

séparable E *de* k, *alors* $cd(G_k) \leqq 1$.

Démonstration: On a $H^1(G_E, k_s^*) = 0$ automatiquement et on applique le théorème, pour la p-composante où $p \neq car.k$. Pour $p = car.k$, on a déjà vu que la dimension est toujours $\leqq 1$.

Le corollaire donne le critère annoncé plus haut, car le H^2 n'est que le groupe de Brauer habituel.

THEOREME 12 - *Soit* K *une extension de* k. *Alors*

$$cd_p(G_K) \leqq tr.\ deg.\ K/k + cd_p(G_k).$$

Démonstration: Si on a une tour $K \supset K_1 \supset k$, et si notre assertion est vraie pour K/K_1 et K_1/k, alors elle est vraie pour K/k. Nous sommes donc ramenés au cas où K/k est algébrique, l'assertion étant alors triviale puisque $G_K \subset G_k$ (représentations induites) et au cas où K est pure, $K = k(x)$.

$$\begin{array}{ccccc} k(x) & \xrightarrow{G_k} & \bar{k}(x) & \xrightarrow{G_{\bar{k}(x)}} & \bar{k}(x)_s \\ | & & | & & \\ k & \xrightarrow[G_k]{} & \bar{k} & & \end{array}$$

Par Tsen, et le corollaire du théorème 10, on sait que $cd(G_{\bar{k}(x)}) \leqq 1$. Le théorème de la tour montre que:

$$cd(G_{k(x)}) \leqq cd(G_k) + 1$$

THEOREME 13 - *Il y a égalité dans le théorème précédent si*

$cd_p(G_k) < \infty$, $p \neq$ car.k, _et_ K _est de type fini sur_ k (i.e. _est un corps de fonctions_).

Démonstration: Notre assertion est de nouveau transitive, et nous sommes ramenés au cas d'une extension algébrique finie, où nous pouvons appliquer la prop. 15, ou au cas $K = k(x)$ purement transcendant. Pour ce dernier, nous avons besoin d'un lemme.

LEMME - _Soit_ G _de type Galois_, T _un sous-groupe fermé normal tel que_ $cd_p(T) \leqq 1$. _Alors si_ $cd_p(G/T) \leqq n$, _on a un isomorphisme_

$$H^{n+1}(G,A) \approx H^n(G/T, H^1(T,A))$$

pour tout $A \in Galm_t(G)$.

Démonstration: On a $H^r(T,A) = 0$ pour $r > 1$ et la suite spectrale devient une suite exacte:

$$0 = H^{n+1}(G/T,A^T) \to H^{n+1}(G,A) \to H^n(G/T,H^1(T,A)) \swarrow H^{n+2}(G/T,A^T) = 0$$

d'où notre assertion.

Revenons au théorème. Posons $G = G_{k(x)}$ et $T = G_{k(x)_s/k_s(x)}$ et référons-nous au diagramme du théorème 11. On peut remplacer k par l'extension de k correspondant à un groupe de Sylow de G_k, i.e. nous pouvons supposer que G_k est un p-groupe. On a $G_k = G/T$. Prenons maintenant $A = Z_p$ dans le lemme. Nous assumons

$$n = cd_p(G/T) < \infty,$$

et on doit montrer que $H^{n+1}(G,A) \neq 0$. Par le lemme, cela revient à montrer $H^n(G/T, H^1(T, Z_p)) \neq 0$. Comme les racines p-ièmes de 1 sont dans k ($p \neq$ car.k) la théorie de Kummer montre que

$$H^1(T, Z_p) = \text{Cont Hom}(T, Z_p)$$

est G/T-isomorphe à $k_s(x)^*/k_s(x)^{*p}$. La factorisation unique dans $k_s(x)$ montre que ce groupe contient un sous-groupe G-isomorphe à Z_p. D'autre part, ce groupe est somme directe de ses orbites relativement à G/T et une de ces orbites est Z_p. Il s'ensuit que $H^{n+1}(G, Z_p) \neq 0$ C.Q.F.D.

Le théorème qu'on vient de démontrer, et qui apparaît ici à la fin de la théorie, en fait en est à l'origine, sa conjecture et le schéma de sa démonstration étant dus à Grothendieck.

CHAPITRE VIII

EXTENSIONS DE GROUPES

1. Morphismes d'Extensions

Soit G un groupe et A un groupe abélien. Une extension de A par G est une suite exacte

$$0 \to A \xrightarrow{i} U \xrightarrow{j} G \to 0.$$

On peut alors définir une opération de G sur A. Si l'on identifie A à un sous-groupe de U, alors U opère sur A par conjugaison. Comme on a assumé A commutatif, on voit qu'en fait les éléments de A opèrent trivialement, et par conséquent, U/A = G opère sur A.

Nous écrirons A, U, G multiplicativement. Pour chaque élément $\sigma \in G$, et $a \in A$, on pose:

$$a^{\sigma} = a^{u_{\sigma}} = u_{\sigma} a u_{\sigma}^{-1}$$

u_σ étant n'importe quel élément de U tel que $ju_\sigma = \sigma$.

Pour chaque σ, choisissons un représentant u_σ. Alors chaque élément de U se met de façon unique sous la forme:

$$u = au_\sigma \qquad \sigma \in G,\ a \in A.$$

On voit immédiatement que:

$$u_\sigma u_\tau = a_{\sigma,\tau} u_{\sigma\tau}$$

avec $a_{\sigma,\tau} \in A$, et que $(a_{\sigma,\tau})$ est un cocycle dans $Z^2(G,A)$. Un choix différent des u_σ donnerait lieu à un 2-cocycle qui ne diffère du précédent que par un cobord. Si l'on désigne par α la classe de cohomologie de $(a_{\sigma,\tau})$, de sorte que α est dans $H^2(G,A)$, alors α est uniquement déterminé par l'extension, i.e. par la suite exacte.

Réciproquement, si on se donne un élément $\alpha \in H^2(G,A)$ pour un groupe G donné, et A un groupe abélien dans Mod(G), soit $(a_{\sigma,\tau})$ un cocycle représentant α. On peut alors définir une extension de A par G de la façon suivante. Soit U l'ensemble des paires (a,u_σ) $a \in A$ et $\sigma \in G$, (u_σ) étant un ensemble de symboles en correspondance biunivoque avec G.

On définit la multiplication dans U par la formule:

$$(a,u_\sigma)\ (b,u_\tau) = (ab^\sigma a_{\sigma,\tau},\ u_{\sigma\tau}).$$

On vérifie alors que U est un groupe, l'élément unité

étant $(a_{1,1}^{-1}, u_1)$ et l'inverse de (a,u_σ) étant $(a_{1,1}^{-1}, u_{\sigma^{-1}}\, a^{-\sigma^{-1}}\, a_{\sigma^{-1},\sigma}^{-1})$. Si l'on définit $j(a,u_\sigma) = \sigma$, on obtient un homomorphisme de U sur G, de noyau isomorphe à A, par la correspondance,

$$a \Leftrightarrow (aa_{1,1}^{-1}\ ,\ u_1).$$

On peut donc identifier ce noyau à A.

Les extensions (i.e. les suites exactes comme ci-dessus) forment une catégorie, les morphismes étant les triplets d'homomorphismes (f,F,ϕ) qui rendent le diagramme suivant commutatif:

$$(1)\qquad \begin{array}{ccccccccc} 0 & \to & A & \to & U & \to & G & \to & 0 \\ & & f\downarrow & & F\downarrow & & \phi\downarrow & & \\ 0 & \to & B & \to & V & \to & H & \to & 0 \end{array}$$

On aura un isomorphisme quand f, F, ϕ seront tous trois des isomorphismes.

Deux extensions U et U' de A par G seront dites <u>isomorphes</u> s'il existe un isomorphisme $F : U \to U'$ qui rende le diagramme suivant commutatif:

$$\begin{array}{ccccc} A & \to & U & \to & G \\ id\downarrow & & F\downarrow & & \downarrow id \\ A & \to & U' & \to & G \end{array}$$

Les classes d'extensions isomorphes forment aussi une catégorie, les morphismes étant définis de façon évidente.

Si (G,A) est une paire formée d'un groupe G et d'un G-module A, on désigne par $E(G,A)$ les classes d'extensions isomorphes de A par G. Pour G fixé, c'est un foncteur de Mod(G), et on a:

THEOREME 1 - Sur la catégorie Mod(G), les foncteurs $H^2(G,A)$ et E(G,A) sont isomorphes, l'isomorphisme étant celui décrit plus haut.

On voudrait considérer E(G,A) comme foncteur sur une catégorie de paires (G,A). Un tel foncteur serait alors covariant dans les deux variables G et A, de sorte que l'on ne peut se servir des morphismes définis auparavant, qui sont contravariants en G. Nous nous posons donc le problème suivant: Si on se donne deux homomorphismes $(\phi,f) : (G,A) \to (G',A')$, quand existe-t-il un F qui rende le diagramme ci-dessus commutatif? La réponse est comme suit:

THEOREME 2 - Soient $G \approx U/A$ et $G' \approx U'/A'$ deux extensions. Supposons donnés deux homomorphismes $f : A \to A'$ et $\phi : G \to G'$. Alors, il existe $F : U \to U'$ tel que le diagramme:

$$\begin{array}{ccccc} A & \xrightarrow{i} & U & \xrightarrow{j} & G \\ f\downarrow & & F\downarrow & & \phi\downarrow \\ A' & \xrightarrow[i]{} & U' & \xrightarrow[j]{} & G' \end{array}$$

soit commutatif si et seulement si:

1.) f est un G-homomorphisme, G opérant sur A' par l'entremise de ϕ.

2.) $f_*\alpha = \phi^*\alpha'$ où l'on désigne par α la classe de cohomologie de l'extension U, par α' celle de U', et f_* et ϕ^* sont les morphismes induits par les morphismes

<u>de paires</u> $(1,f) : (G,A) \to (G,A')$ et $(\phi,1) : (G',A') \to (G,A')$.

<u>Démonstration</u>: Commençons par démontrer que les conditions sont nécessaires. On suppose sans perte de généralité que i est une inclusion. Soient (u_σ) (resp. $v_{\sigma'}$) des représentants de G (resp. G'). Pour $u = au_\sigma$ dans U, on trouve

$$F(u) = F(au_\sigma) = F(a)\,F(u_\sigma) = f(a)\,F(u_\sigma).$$

On voit que F est uniquement déterminé par la donnée de $F(u_\sigma)$. On a $jF(u_\sigma) = \phi j u_\sigma = \phi\sigma = jv_{\phi\sigma}$

Il existe donc des éléments c_σ de A' tels que:

$$F(u_\sigma) = c_\sigma v_{\phi\sigma}.$$

On voit donc que F est uniquement déterminé par la donnée des c_σ (une cochaine de G dans A'). Comme F est un homomorphisme, on doit avoir

$$F(u_\sigma a u_\sigma^{-1}) = F(u_\sigma)f(a)\,F(u_\sigma)^{-1}$$

$$F(u_\sigma u_\tau) = F(u_\sigma)F(u_\tau).$$

Ces conditions impliquent:

$$\text{(I)}\quad f(\sigma a) = \phi\sigma(fa) \qquad a\in A, \quad \sigma\in G$$

et

$$\text{(II)}\quad fa_{\sigma,\tau} = b_{\phi\sigma,\phi\tau}(c_\tau{}^{\phi\sigma}c_{\sigma\tau}^{-1}\,c_\sigma)$$

pour les cocycles $(a_{\sigma,\tau})$ et $(b_{\lambda,\omega})$ associés à nos extensions et nos représentants (u_σ), (v_λ). Par définition, ces deux conditions expriment précisément les conditions 1.) et 2.) du théorème. Réciproquement, on vérifie que ces conditions sont suffisantes, en définissant $F(au_\sigma) = f(a)\, c_\sigma v_{\phi\sigma}$.

Nous voulons maintenant décrire les F possibles dans une classe d'isomorphismes d'une extension de A par G. Soient donc, f, ϕ fixés dans le théorème 2, et soient

$$F, F' : U \to U'$$

des homomorphismes qui rendent le diagramme commutatif. On dira que F est *équivalent* à F' s'il diffère de F' par un automorphisme intérieur de U' provenant de A', i.e. s'il existe un élément a' A' tel que

$$F(u) = a'F'(u)a'^{-1}$$

pour tout $u \in U$. Cette équivalence est visiblement la moins forte qu'on puisse espérer définir. Nous allons maintenant décrire les classes d'équivalence des F.

THEOREME 3 - *Soient* f, ϕ *donnés comme dans le théorème précédent. Alors les classes d'équivalence d'homomorphismes* F *forment un espace principal homogène sur* $H^1(G,A')$, *l'opération étant définie comme suit. Soit* (u_σ) *un système de représentants de* G *dans* U, *et* $d = (d_\sigma)$ *un* 1-*cocycle de* G *dans* A'. *Alors:*

$$(dF)(au_\sigma) = f(a)d_\sigma F(u_\sigma).$$

Démonstration: Straightforward, et on la laisse au lecteur

OROLLAIRE - *Si* $H^1(G,A') = 0$, *alors deux homomorphismes* , $F' : U \to U'$ *qui rendent le diagramme du théorème* 2 *ommutatif sont équivalents*.

. Commutateurs et Transfert dans Une Extension

Soit G un groupe fini et $A \in Mod(G)$. Nous écrirons multiplicativement, et on remplacera la trace par la orme, $N = N_G$. Considérons une extension de A par G,

$$0 \to A \xrightarrow{i} E \xrightarrow{j} G \to 0$$

t supposons sans perte de généralité que i est une inlusion. Nous fixons un système de représentants (u_σ) e G dans E ce qui donne lieu au cocycle $(a_{\sigma,\tau})$. Sa lasse sera notée α. On note E^c le groupe des commutaeurs de E. Ces notations resteront fixes pour le reste e ce numéro.

ROPOSITION 1 - *L'image du transfert*:

$$Tr : E/E^c \to A$$

st contenue dans A^G, *et on a*:

2) $Tr(aE^c) = \prod_{\sigma \in G} u_\sigma a u_\sigma^{-1} = N_G a$ (la norme) a A

3) $Tr(u_\tau E^c) = \prod_{\sigma \in G} u_\sigma u_\tau u_{\sigma\tau}^{-1} = \prod_{\sigma \in G} a_{\sigma,\tau}$ (Nakayama).

émonstration: Ces formules sont des conséquences immédiates de la définition du transfert, à savoir:

$$\mathrm{Tr}(uE^c) = \prod_{\sigma\in G} u_\sigma u_\tau u_{\tilde\sigma}^{-1}$$

si l'on pose $\sigma = j(u_\sigma u)$.

PROPOSITION 2 - <u>On a</u> $I_G \subset E^c \cap A \subset A_N$ <u>et pour le cup produit relatif au pairing</u> $Z \times A \rightarrow A$, <u>on a</u>

$$\alpha \cup H^{-3}(G,Z) = Ж_G((E^c \cap A)/I_G A).$$

<u>Démonstration</u>: On a évidemment $a^{\sigma-1} = u_\sigma a u_\sigma^{-1} a^{-1} \in E^c \cap A$

L'autre inclusion se voit en remarquant que Tr tue E^c, et en appliquant la proposition 1.

Rappelons qu'un sous-groupe d'un groupe abélien est déterminé par la connaissance des caractères $f : A \rightarrow Q/Z$ qui s'annulent sur le sous-groupe.

Un caractère $f : A \rightarrow \mathbf{Q/Z}$ s'annule sur $E^c \cap A$ si et seulement si on peut prolonger f à un caractère F de E/E^c puisque $A/E^c \cap A \subset E/E^c$. L'extension d'un caractère f se pose donc sous la forme d'un diagramme commutatif que nous avons considéré plus haut, et de l'existence de F :

$$\begin{array}{ccccc} A & \rightarrow & E & \rightarrow & G \\ f\downarrow & & F\downarrow & & \downarrow \\ \mathbf{Q/Z} & \rightarrow & Q/Z & \rightarrow & 0 \end{array}$$

L'existence de F équivaut aux conditions:

1.) f est un G-homomorphisme

2.) $f_*\alpha = 0$.

'après la définition du cup produit, on a le diagramme ommutatif

$$\begin{array}{ccc} \hat{H}^{-3}(Z) \times H^2(Q/Z) & \longrightarrow & \hat{H}^{-1}(Q/Z) = (Q/Z)_N \\ \text{id.}\uparrow \quad f_*\uparrow & & f_*\uparrow \\ \hat{H}^{-3}(Z) \times H^2(A) & \longrightarrow & \hat{H}^{-1}(A) = A_N/I_G A \end{array}$$

t le théorème de dualité dit que $\hat{H}^{-3}(Z)$ est dual à $^2(Q/Z)$. En outre, l'effet de f_* sur $\hat{H}^{-1}(A)$ est nduit par f sur $A_N/I_G A$.

Supposons que f soit un caractère de A qui s'an- ule sur A_N. Alors $f_*(\alpha \cup \hat{H}^{-3}(Z)) = 0$, et donc $_*(\alpha) \cup \hat{H}^{-3}(Z) = 0$. Comme $\hat{H}^{-3}(Z)$ est le groupe des carac- ères de $H^2(Q/Z)$, on en conclut que $f_*(\alpha) = 0$. La éciproque se démontre de même.

En outre, la proposition 1 nous donnera aussi:

HEOREME 4 - Soit:

$$0 \longrightarrow A \xrightarrow{i} E \xrightarrow{j} G \longrightarrow 0$$

ne extension, $\alpha \in H^2(G,A)$ sa classe de cohomologie. Alors e diagramme suivant est commutatif:

$$\begin{array}{ccccccccc} 0 & \to & A/E^c \cap A & \xrightarrow{\bar{i}} & E/E^c & \xrightarrow{\bar{j}} & G/G^c = \hat{H}^2(Z) & \to & 0 \\ & & \bar{N}\downarrow & & \text{Tr}\uparrow & & \alpha_{-2}\uparrow & & \\ 0 & \to & NA & \longrightarrow & A^G & \longrightarrow & \hat{H}^0(A) & \to & 0 \end{array}$$

<u>où l'on désigne par</u> $\bar{N}$, $\bar{i}$, $\bar{j}$ <u>les homomorphismes induits par la norme, l'inclusion, et</u> j <u>respectivement, et par</u> α_{-2} <u>le cup produit avec</u> α.

<u>Démonstration</u>: Le carré de gauche est commutatif vu la formule (2) plus haut. Le transfert applique E/E^c dans A^G par la prop. 1. Le carré de droite est commutatif en vertu du fait que Nakayama donne bien le cup produit , + prop. 1.

Un cas particulièrement important du théorème précédent aura lieu quand (G,A) est une formation de classe Dans ce cas nous allons voir que le transfert est un isomorphisme. Nous avons d'abord un résultat plus précis.

COROLLAIRE 1 - <u>Soit</u> $E/A = G$ <u>une extension de classe</u> $\alpha \in H^2(G,A)$. <u>Etant donné les trois homomorphismes</u>:

$$\mathrm{Tr} : E/E^c \longrightarrow A^G$$

$$\alpha_{-3} : \mathbf{H}^{-3}(G,Z) \longrightarrow \mathbf{H}^{-1}(G,A)$$

$$\alpha_{-2} : \mathbf{H}^{-2}(G,Z) \longrightarrow \mathbf{H}^{0}(G,A)$$

<u>il existe une suite exacte</u>

$$0 \longrightarrow \mathbf{H}^{-1}(G,A)/\mathrm{Im}\ \alpha_{-3} \longrightarrow \mathrm{Ker\ Tr} \longrightarrow \mathrm{Ker}\ \alpha_{-2} \longrightarrow 0$$

<u>et un isomorphisme</u>:

$$0 \longrightarrow A^G/\mathrm{Im\ Tr} \longrightarrow \mathbf{H}^{0}(G,A)/\mathrm{Im}\ \alpha_{-2} \longrightarrow 0$$

<u>Démonstration</u>: Chase around diagrams.

COROLLAIRE 2 - <u>Si</u> α_{-2} <u>et</u> α_{-3} <u>sont des isomorphismes, alors le transfert est un isomorphisme dans le théorème</u> 5.

Ce sera le cas pour une formation de classes (G,A), avec α fondamental.

3. La Déflation

Soit G un groupe et $A \in Mod(G)$ écrit multiplicativement. Soit E_G une extension de A par G. Soit N un sous-groupe normal de G et $E_N = j^{-1}(N)$.

$$0 \longrightarrow A \longrightarrow E_G \xrightarrow{j} G \longrightarrow 0$$

$$0 \longrightarrow A \longrightarrow E_N \longrightarrow N \longrightarrow 0$$

Alors E_N est une extension de A par N, et si $\alpha \in H^2(G,A)$ appartient à E_G, alors $res_N^G(\alpha)$ appartient à E_N.

On voit que E_N est normal dans E_G, et $E_G/E_N \approx G/N$. On obtient une suite exacte:

$$0 \rightarrow E_N \rightarrow E_G \rightarrow G/N \rightarrow 0$$

et comme E_N n'est pas forcément commutatif, on la divise par E_N^c pour obtenir la suite:

$$0 \rightarrow E_N/E_N^c \rightarrow E_G/E_N^c \rightarrow G/N \rightarrow 0$$

qui donne une extension de E_N/E_N^c par G/N, dite extension facteur correspondant au sous-groupe normal N de G.

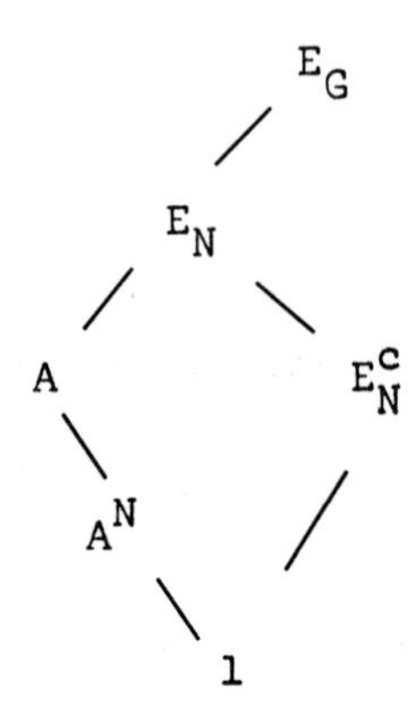

Cette extension facteur correspond à un élément de $H^2(G/N, E_N/E_N^c)$ qui sera noté β.

On peut prendre le transfert:

$$Tr : E_N/E_N^c \rightarrow A^N$$

et on voit immédiatement que c'est un G/N-homomorphisme, l'opération de G/N sur E_N/E_N^c étant compatible avec celle de E_G/E_N^c. En conséquence, on a un homomorphisme induit:

$$Tr_* : H^r(G/N, E_N/E_N^c) \rightarrow H^r(G/N, A^N)$$

et l'image $Tr_*\beta$ de β ne dépend que de α. Par conséquent, on a une application:

$$\mathrm{def} : H^2(G,A) \rightarrow H^2(G/N,A^N)$$

dite de *deflation* qui fait correspondre à α l'élément $Tr_*\beta$. Ce n'est peut-être pas un homomorphisme, mais on va voir que c'en est un pour le cas G fini.

THEOREME 5 - *Soit G un groupe fini. Alors la déflation est un homomorphisme. Si N est normal dans G et $\alpha \in H^2(G,A)$ est représenté par le cocycle $a = (a_{\sigma,\tau})$ alors $\mathrm{def}(\alpha)$ est représenté par le cocycle:*

$$\prod_{h\in N} (a_{\bar\sigma,\bar\tau}\, a^{-1}_{\lambda,\overline{\sigma\tau}})^h \qquad \prod_{h\in N} a_{h,\lambda} = \prod_{h\in N} a_{\bar\sigma h,\bar\tau}\, a_{h,\bar\sigma}\, a^{-1}_{h,\overline{\sigma\tau}}$$

si l'on désigne par $\bar\sigma$, $\bar\tau$ les classes de σ, τ suivant N, et $\lambda = \bar\sigma\bar\tau\, \overline{\sigma\tau}^{-1}$.

La démonstration se fait en calculant le transfert explicitement, et le fait que la déflation est un homomorphisme se voit sur l'expression de droite. On voit aussi sur cette expression que la formule de gauche est bien définie.

Enfin, on a le résultat suivant, valable pour un sous-groupe non normal, et qui devrait être fait avant le théorème 5, qui en dépend.

THEOREME 6 - *Soit S un sous-groupe de G, supposons G fini, et $G = \bigcup S\bar\sigma$ l'union étant prise sur des représentants $\bar\sigma$ des cosets. Soit $(a_{\sigma,\tau})$ un cocycle de G dans A, E_G l'extension de G par $(a_{\sigma,\tau})$, et E_S l'extension de A par S avec la restriction du cocycle à S. Soient (u_σ) des représentants de G dans E_G. Alors on a:*

$$\mathrm{Tr}_A^{E_S}(u_{\bar\sigma}u_{\bar\tau}u_{\overline{\sigma\tau}}^{-1}) = \prod_{h\in S} a_{h,\lambda}(a_{\bar\sigma,\bar\tau}\, a_{\lambda,\overline{\sigma\tau}}^{-1})^h$$

avec $\lambda = \overline{\sigma\tau}\ \bar\sigma\bar\tau^{-1}$.

Démonstration: C'est immédiat à partir de (2) et (3) dans le théorème (4).

Du théorème 6, on tire le corollaire.

COROLLAIRE - _Soit_ G _fini_, N _normal dans_ G, _et_ $\in H^2(G,A)$. _Alors_

$$\mathrm{inf}_G^{G/N} \circ \mathrm{def}_{G/N}^G(\alpha) = \alpha^m$$

_si_ $m = (N : 1)$.

Remarque: Les démonstrations des deux derniers résultats sont laissées au lecteur pour la raison suivante. Si on se met à table avec les formules explicites, et qu'on calcule, la démonstration est forcée. D'autre part, ça dégoute le rédacteur de copier un tas de symboles dégueulasses.

CHAPITRE IX

FORMATION DE CLASSES

1. Définitions

Soit G un groupe de type Galois, un système fondamental de voisinages de 1 étant constitué par des sous-groupes ouverts U, V, ... Soit $A \in Galm(G)$ un module de Galois sur G. Alors on dira que la paire (G,A) est une *formation de classes* si elle satisfait aux axiomes CF1 et CF2 suivants.

CF1 - *Pour chaque sous-groupe ouvert* V *de* G, *on a* $H^1(V,A) = 0$. En vertu de la suite exacte d'inflation-restriction en dimension 1, cet axiome équivaut au fait que pour toute paire de sous-groupes ouvert, U, V avec $U \subset V$ et U normal dans V, on ait:

$$H^1(V/U, A^U) = 0$$

(Si k est un corps, K une extension Galoisienne,

de groupe de Galois G, alors (G,K^*) satisfait à l'axiome CF 1).

En vertu de l'axiome CF1, on sait que la suite d'inflation-restriction en dimension 2 est exacte, et par conséquent les inflations

$$\inf : H^2(V/U,A^U) \rightarrow H^2(V,A)$$

sont des monomorphismes, pour V ouvert, U ouvert et normal dans V. On peut donc considérer $H^2(V,A)$ comme l'union des $H^2(V/U,A^U)$. (C'est le groupe de Brauer, dans l'exemple précédent). L'axiome CF2 s'énonce alors de la façon suivante:

CF2 - _Pour chaque sous-groupe ouvert_ V _de_ G, _on s'est donné un monomorphisme_ inv_V,

$$\alpha \mapsto \mathrm{inv}_V(\alpha)$$

_de_ $H^2(V,A)$ _dans_ $\mathbf{Q}/\mathbf{Z}$, _satisfaisant aux conditions_:

(i) _Si_ $U \subset V$ _sont ouverts, et_ U _normal dans_ V, $(V : U) = n$, _alors_ inv_V _applique_ $H^2(V/U,A^U)$ _sur le sous-groupe_ $(\mathbf{Q}/\mathbf{Z})_n$ _des éléments d'ordre_ n _de_ $\mathbf{Q}/\mathbf{Z}$.

(ii) _Si_ $U \subset V$ _sont ouverts, et_ U _est d'indice_ n _dans_ V, _alors_:

$$\mathrm{inv}_U \circ \mathrm{res}_U^V = n.\ \mathrm{inv}_V .$$

On remarquera que si $(G : 1)$ est divisible par tout entier m, alors inv_G applique $H^2(G,A)$ sur $\mathbf{Q}/\mathbf{Z}$.

Ce sera le cas pour le corps de classes local et global, le groupe G étant le groupe de Galois de la clôture séparable, et A étant le groupe multiplicatif dans un cas, et le groupe de classes d'idèles dans l'autre. D'autre part, si G est fini, alors bien sûr inv_G n'applique $H^2(G,A)$ que sur $(\mathbf{Q}/\mathbf{Z})_n$, si $n = (G : 1)$.

Si G est fini, et (G,A) est une classe-formation, alors A est un class-module. Mais on notera qu'on s'est donné une structure additionnelle, à savoir la spécification d'un élément fondamental distingué $\alpha \in H^2(G,A)$, à savoir celui dont $\mathrm{inv}_G \alpha = 1/n$.

Soit (G,A) une formation de classes et $\alpha \in H^2(G,A)$. Alors $\mathrm{inv}_G \alpha$ sera appelé son <u>invariant</u> par rapport à G. Si V est ouvert dans G, alors on a l'invariant par rapport à V de $\mathrm{res}_V^G(\alpha)$.

Soit V ouvert dans G, U ouvert et normal dans V. L'élément $\alpha \in H^2(V/U,A^U) \subset H^2(V,A)$ dont l'invariant pour V est $1/m$, avec $m = (V : U)$ sera appelé <u>la classe fondamentale</u> de $H^2(V/U,A^U)$ ou par abus de langage, de V/U.

PROPOSITION 1 - <u>Soient</u> $U \subset V \subset W$ <u>trois sous-groupes ouverts de</u> G, <u>avec</u> U <u>normal dans</u> W. <u>Si</u> α <u>est la classe fondamentale de</u> W/U <u>alors</u> $\mathrm{res}_V^W(\alpha)$ <u>est la classe fondamentale de</u> V/U.

<u>Démonstration</u>: C'est immédiat à partir de la condition CF2 (ii).

COROLLAIRE - <u>Soit</u> V <u>ouvert dans</u> G, <u>et</u> (G,A) <u>une for-</u>

mation de classes. Alors (V,A) *est une formation de classes, et la restriction* $\mathrm{res} : H^2(G,A) \rightarrow H^2(V,A)$ *est surjective.*

PROPOSITION 2 - *Soit* G *un groupe de type Galois,* (G,A) *une formation de classes. Soit* N *un sous-groupe fermé de* G, *et normal. Alors* $(G/N,A^N)$ *est une formation de classes si l'on définit l'invariant d'un élément de* $H^2(VN/N,A^N)$ *comme étant celui de son inflation dans* $H^2(VN,A)$.

Démonstration: Immédiate.

PROPOSITION 3 - *Soit* (G,A) *une formation de classes. Soit* V *ouvert dans* G. *Alors*:

1.) *Le transfert préserve les invariants, c'est-à-dire que si* $\alpha \in H^2(V,A)$, *alors* $\mathrm{inv}_G\, \mathrm{tr}_G^V(\alpha) = \mathrm{inv}_V(\alpha)$.

2.) *La conjugaison préserve les invariants, c'est-à-dire que si* $\alpha \in H^2(V,A)$, *alors*,

$$\mathrm{inv.}_{V^{\sigma}}(\sigma_* \alpha) = .\ \mathrm{inv}_V(\alpha).$$

Démonstration: La restriction étant surjective, la première assertion est immédiate, compte tenu de l'axiome CF2, et de la formule

$$\mathrm{tr} \circ \mathrm{res} = (G : V).$$

Pour la seconde, on rappelle que σ induit l'identité sur $H^2(G,A)$. Donc on trouve:

$$\mathrm{inv}_{V^\sigma} \circ \sigma_* \ \circ\ \mathrm{res}_V^G = \mathrm{inv}_{V^\sigma} \circ \mathrm{res}_{V^\sigma}^G \circ \sigma_*$$

$$= (G : V^\sigma)\ \mathrm{inv}_G \circ \sigma_*$$

$$= (G : V)\ \mathrm{inv}_G$$

$$= \mathrm{inv}_V \circ \mathrm{res}_V^G .$$

Comme la restriction est surjective on a ce qu'on veut.

THEOREME 1 - _Soit_ G _un groupe fini, et_ (G,A) _une formation de classes. Soit_ α _l'élément fondamental de_ $H^2(G,A)$. _Alors le cup produit:_

$$\alpha_r : \mathbf{H}^r(G,Z) \to \mathbf{H}^{r+2}(G,A)$$

est un isomorphisme pour $r \in \mathbf{Z}$.

Démonstration: Pour chaque sous-groupe G' de G, désignons par α' la restriction de α à G', et par α'_r le cup produit pris relativement à G'. Par le théorème des triplets, il suffira de montrer que α'_r se comporte bien en trois dimensions successives. Nous choisissons ces dimensions -1, 0, $+1$.

Pour $r = -1$, on a par hypothèse $H^1(G,A) = 0$, et donc α'_{-1} est surjectif.

Pour $r = 0$, on note que $\mathbf{H}^0(G',\mathbf{Z})$ est d'ordre $(G' : 1)$, et donc du même ordre que $H^2(G',A)$. Et on a trivialement

$$\alpha'_o(\kappa 1) = \alpha'$$

ce qui montre que α'_o est un isomorphisme.

Pour $r = 1$, on note simplement que $H^1(G,\mathbf{Z}) = 0$, G étant fini, et l'action triviale. Cela démontre le théorème.

Le théorème sera appliqué au cas où le groupe G est en fait un groupe facteur V/U dans une formation de classes plus grande.

Nous explicitons quelques relations de commutativité pour la restriction, transfert, inflation, conjugaison (isomorphismes) relatives à l'identification de $H^r(G,A)$ avec $H^{r-2}(G,\mathbf{Z})$.

PROPOSITION 4 - *Soit* G *fini, et* (G,A) *une formation de classe. Soit* $\alpha \in H^2(G,A)$ *un élément fondamental, et* α' *sa restriction à* G' *pour tout sous-groupe* G' *de* G. *Alors pour chaque paire de flèches verticales, le diagramme suivant est commutatif:*

$$\begin{array}{ccc} H^r(G,Z) & \xrightarrow{\cup\,\alpha} & H^{r+2}(G,A) \\ \text{res}\downarrow\uparrow\text{tr} & & \text{res}\downarrow\uparrow\text{tr} \\ H^r(G',Z) & \xrightarrow[\cup\,\alpha']{} & H^{r+2}(G',A) \end{array}$$

Démonstration: Cas particulier des relations de commutativité entre restriction (transfert) et cup produit.

PROPOSITION 5 - *Soit* G *fini, et* (G,A) *une formation de classes. Soit* U *normal dans* G, $\alpha \in H^2(G,A)$ *l'élément fondamental, et* $\bar{\alpha} \in H^2(G/U,A^U)$ *l'élément fondamental pour*

G/U. <u>Alors le diagramme suivant est commutatif, pour</u> $r \geq 0$.

$$\begin{array}{ccc} H^r(G/U,Z) & \xrightarrow{\cup\, \bar{\alpha}} & H^{r+2}(G/U,A^U) \\ {\scriptstyle (U:1)\mathrm{inf.}}\downarrow & & \downarrow{\scriptstyle \mathrm{inf.}} \\ H^r(G,Z) & \xrightarrow[\cup\, \alpha]{} & H^{r+2}(G,A) \end{array}$$

<u>Démonstration</u>: C'est un cas particulier de la règle

$$\inf(\alpha \cup \beta) = \inf(\alpha) \cup \inf(\beta).$$

(On notera que pour $r = 0$, l'homomorphisme de gauche est l'homomorphisme habituel induit par $(U : 1)\inf$ pour l'inflation non réduite, donnée par l'inclusion). En effet, on a $(G : 1) = (G : U)\,(U : 1)$, et par conséquent:

$$\inf(\bar{\alpha}) = (U : 1)\alpha \ .$$

On applique alors la règle ci-dessus.

Enfin, considérons des isomorphismes de formations de classes. Soient (G,A) et (G',A') deux formations de classes. Un <u>isomorphisme</u>

$$(\lambda,f) : (G',A') \rightarrow (G,A)$$

est constitué d'un isomorphisme de paires, $\lambda : G \rightarrow G'$ et $f : A' \rightarrow A$ tel que:

$$\mathrm{inv}_G(\lambda,f)_* \alpha' = \mathrm{inv}_{G'}(\alpha')$$

pour $\alpha' \in H^2(G',A')$. Etant donné un isomorphisme, le diagramme suivant est alors commutatif; pour $V \supset U$ et U normal dans V:

$$\begin{array}{ccc} H^r(V/U,\mathbf{Z}) & \xrightarrow{\cup\,\alpha} & H^{r+2}(V/U,A^U) \\ {\scriptstyle (\lambda,1)_*}\uparrow & & \uparrow{\scriptstyle (\lambda,f)_*} \\ H^r(\lambda V/\lambda U,\mathbf{Z}) & \xrightarrow[\cup\,\alpha']{} & H^{r+2}(\lambda V/\lambda U,A'^{\lambda U}) \end{array}$$

α et α' désignant les éléments fondamentaux dans leurs H^2 respectifs.

On trouve la conjugaison comme cas particulier.

PROPOSITION 6 - *Soit* (G,A) *une formation de classes*, $U \subset V$ *deux sous-groupes ouverts*, *avec* U *normal dans* V. *Soit* $\tau \in G$, *et* α *l'élément fondamental de* $H^2(V/U,A^U)$. *Alors le diagramme suivant est commutatif*.

$$\begin{array}{ccc} H^r(V/U,\mathbf{Z}) & \xrightarrow{\cup\,\alpha} & H^{r+2}(V/U,A^U) \\ {\scriptstyle \tau_*}\downarrow & & \downarrow{\scriptstyle \tau_*} \\ H^r(V^\tau/U^\tau,\mathbf{Z}) & \xrightarrow[\tau_*\alpha]{} & H^{r+2}(V^\tau/U^\tau,A^{U^\tau}) \end{array}$$

Démonstration: C'est un cas particulier de l'énoncé plus général.

2. L'Homomorphisme de Réciprocité

D'après le diagramme commutatif à la fin du chapitre sur les cup produits, on sait que si (G,A) est une formation de classes, et G est fini, alors G/G^c est iso-

rphe à A^G/S_GA, l'isomorphisme étant donné de deux ma-
ères. D'une part, directement, et d'autre part par dua-
té avec le groupe des caractères. C'est cette seconde
i nous intéresse ici d'abord. Si χ est un caractère
G, alors on a une application bilinéaire

$$A^G \times \hat{G} \rightarrow H^2(G,A)$$

nnée par:

$$(a,\chi) \mapsto \kappa(a) \cup \delta\chi$$

en employant l'invariant, dans Q/Z,

$$(a,\chi) \mapsto \mathrm{inv}_G(\kappa(a) \cup \delta\chi).$$

noyau de gauche est S_GA, et celui de droite est égal
caractère 1. Par conséquent, A^G/S_GA est isomorphe à
G^c, tous deux étant les groupes duaux de $\hat{G}$.

$$\begin{array}{ccccc}
H^0(A) & \times & H^2(\mathbf{Z}) & \longrightarrow & H^2(A) \\
\cup\alpha \uparrow & & \uparrow & & \uparrow \cup\alpha \\
H^{-2}(Z) & \times & H^2(\mathbf{Z}) & \longrightarrow & H^0(Z) \\
\uparrow & & \uparrow \delta & & \uparrow \delta \\
H^{-2}(Z) & \times & H^1(Q/\mathbf{Z}) & \rightarrow & H^{-1}(Q/\mathbf{Z}) \\
\uparrow & & \uparrow & & \uparrow \\
G/G^c & \times & \hat{G} & \rightarrow & (Q/\mathbf{Z})_n
\end{array}$$

Mais on a $\kappa(1) \cup\alpha = \alpha$, et $\mathrm{inv}_G(\kappa(1)\cup \alpha) = \mathrm{inv}_G(\alpha) = 1/n$
. $n = (G : 1)$, et α le cocycle fondamental dans

$H^2(G,A)$. Nous obtenons donc le résultat fondamental suivant.

THEOREME 2 - Soit G un groupe fini, et (G,A) une formation de classes. Pour $a \in A^G$, désignons par σ_a l'élément de G/G^c qui lui correspond par l'isomorphisme décrit ci-dessus. Alors on a pour tout caractère χ de G

$$\chi(\sigma_a) = \mathrm{inv}_G(\kappa(a) \cup \delta\chi),$$

et un élément σ de G/G^c est égal à σ_a si et seulement si

$$\chi(\sigma) = \mathrm{inv}_G(\kappa(a) \cup \delta\chi).$$

L'application $a \mapsto \sigma_a$ établit un isomorphisme entre $A^G/S_G A$ et G/G^c.

Nous désignerons aussi par (a,G) l'élément σ_a du Théorème 2.

Soit maintenant G un groupe de type Galois, et (G,A) une formation de classes. Nous pouvons définir une application bilinéaire

$$H^0(G,A) \times H^1(G,\mathbf{Q}/\mathbf{Z}) \to H^2(G,A)$$

$$A^G \quad \times \quad \hat{G} \quad \to \quad H^2(G,A)$$

avec H^0 ordinaire, par la formule

$$(a,\chi) \mapsto a \cup \delta\chi$$

l'on identifie un caractère χ avec l'élément corres-
ntant de H^1, et H^o avec A^G. Le fait que l'infla-
on commute avec le cup produit montre que si U est
rmal et ouvert, alors le diagramme suivant est commu-
tif:

$$\begin{array}{ccccc} H^o(G,A) & \times & H^1(G,Q/Z) & \longrightarrow & H^2(G,A) \\ \text{inf.}\uparrow & & \uparrow\text{inf.} & & \uparrow\text{inf.} \\ H^o(G/U,A^U) & \times & H^1(G/U,Q/Z) & \rightarrow & H^2(G/U,A^U) \end{array}$$

inflation de gauche étant simplement l'inclusion de A^U
ns A, et celle du milieu étant celle du caractère.

En particulier, chaque élément a A^G donne lieu à
caractère de $H^1(G,Q/Z)$, à savoir

$$\chi \mapsto \mathrm{inv}_G(a \cup \delta\chi).$$

considère $H^1(G,Q/Z)$ comme groupe discret. Le groupe
G^c est son groupe de caractère (on vérifie ici facile-
nt la dualité de Pontrjagin et l'on désigne par G^c la
ôture du groupe des commutateurs) et par conséquent nous
tenons un homomorphisme:

$$\omega_G : A^G \rightarrow G/G^c$$

i a la propriété que pour U ouvert normal dans G, et
A^G,

$$\omega_{G/U}(a) = (a,G/U) = (a,G/G^cU).$$

Il en est d'ailleurs de même si l'on remplace U par un sous-groupe fermé normal quelconque de G. C'est ce qu'o appelle la consistance de ω_G, qui sera nommée l'application de réciprocité. On désignera aussi $\omega_G(a)$ par (a,G) dans le cas où G est de type Galois, mais infini La définition de l'invariant par inflation nous donne don pour de tels G la même formule que dans le théorème 2. Les théorèmes suivants donnent alors les principales propriétés du symbole (a,G). Le théorème 3 est évident à partir de la discussion qui précède.

THEOREME 3 - *Soit G un groupe de type Galois, et (G,A) une formation de classes. Alors il existe un homomorphisme*

$$\omega_G : A^G \rightarrow G/G^c$$

qu'on écrit aussi $\omega_G(a) = (a,G)$, *caractérisé par la propriété*

$$\mathrm{inv}_G(a \cup \delta\chi) = \chi(a,G)$$

pour tout caractère χ *de* G. *Si* G *est fini, et* α *est la classe fondamentale, alors*

$$(a,G) = \sigma \iff \cup\alpha = \kappa_G(a).$$

Ayant donné la définition de ω_G, nous passons aux propriétés formelles.

Nous nous servirons souvent des commutativités suivantes. Si $\lambda : G_1 \rightarrow G_2$ est un homomorphisme, alors o a un homomorphisme induit:

$$\lambda^c : G_1/G_1^c \rightarrow G_2/G_2^c$$

THEOREME 4 - <u>Soit</u> G <u>un groupe de type Galois</u>, <u>et</u> (G,A) <u>une formation de classes</u>.

(i) <u>Si</u> $a \in A^G$ <u>et</u> T <u>est un sous-groupe fermé normal de</u> G <u>et si</u> $\lambda : G \rightarrow G/T$ <u>est canonique</u>, <u>alors</u> $\omega_{G/T} = \lambda^c \circ \omega_G$, i.e.

$$(a,G/T) = \lambda^c(a,G).$$

(ii) <u>Soit</u> V <u>ouvert dans</u> G. <u>Alors</u> $\omega_V = Tr_V^G \circ \omega_G$, i.e. <u>pour</u> $a \in A^G$,

$$(a,V) = Tr_V^G(a,G).$$

(iii) <u>Soit</u> V <u>ouvert dans</u> G, $\lambda : V \rightarrow G$ <u>l'inclusion</u>. <u>Alors</u> $\omega_G \circ S_G^V = \lambda^c \circ \omega_V$, i.e. <u>pour</u> $a \in A^V$ <u>on trouve</u>

$$(S_G^V(a),G) = \lambda^c(a,V).$$

(iv) <u>Soit</u> V <u>ouvert dans</u> G, <u>et</u> $a \in A^V$. <u>Soit</u> $\tau \in G$. <u>Alors</u>

$$(\tau a, V^\tau) = (a,V)^\tau.$$

(Les propriétés ci-dessus s'appellent <u>consistance</u>, <u>transfert</u>, <u>translation</u>, et <u>conjugaison</u> pour l'application de réciprocité).

Démonstration: La propriété de consistance n'est autre que la commutativité de l'inflation et du cup produit, et nous nous en sommes déjà servi d'ailleurs pour définir (a,G) quand G est de type Galois. Les autres propriétés se démontrent en réduisant d'abord l'énoncé au cas où G est fini. Montrons-le par exemple pour (ii). Pour démontrer que deux éléments de V/V^c sont égaux, il suffit de montrer que pour tout caractère $\chi : V \to \mathbf{Q}/\mathbf{Z}$ les valeurs de χ sur ces deux éléments coïncident. Il existe un sous-groupe normal ouvert U de G avec $U \subset V$ tel que $\chi(U) = 0$. Si on désigne par $\bar{G}$ le groupe facteur G/U, alors le diagramme suivant est commutatif:

$$\begin{array}{ccccc} G/G^c & \xrightarrow{tr} & V/V^c & \xrightarrow{\chi} & \mathbf{Q}/\mathbf{Z} \\ \downarrow & & \downarrow & & \downarrow \text{id.} \\ \bar{G}/\bar{G}^c & \xrightarrow[Tr]{} & \bar{V}/\bar{V}^c & \xrightarrow[\chi]{} & \mathbf{Q}/\mathbf{Z} \end{array}$$

les applications verticales étant canoniques. En outre, d'après la consistance, on a $(a,G)U = (a,G/U) = (a,\bar{G})$. Ceci nous ramène donc bien au cas du groupe fini $\bar{G}$.

Mais dans le cas où G est fini, nous pouvons décrire (a,G) d'une autre manière, à savoir:

$$(a,G) = \sigma \Leftrightarrow \kappa_G(a) = \zeta_\sigma \cup \alpha$$

si l'on désigne comme d'habitude par ζ l'élément de $\mathbf{H}^{-2}(G,Z) = G/G^c$ correspondant à σ, et par α la classe fondamentale. La restriction $\mathrm{res}_V^G(\alpha) = \alpha'$ est la classe fondamentale de $H^2(V,A)$, et on sait que:

$$\zeta_{Tr(\sigma)} \cup \alpha' = res_V^G(\zeta_\sigma \cup \alpha).$$

Comme on a $res_V^G \kappa_G(a) = \kappa_V(a)$, on voit bien que $Tr(a,G)$ est égal à (a,V).

Pour la propriété (iii) on remarque que le diagramme

$$\begin{array}{ccccc} V/V^c & \to & G/G^c & \xrightarrow{\chi} & \mathbf{Q}/\mathbf{Z} \\ \downarrow & & \downarrow & & \downarrow \\ \bar{V}/\bar{V}^c & \to & \bar{G}/\bar{G}^c & \xrightarrow{\chi} & \mathbf{Q}/\mathbf{Z} \end{array}$$

est commutatif, si on désigne comme avant par U un sous-groupe ouvert normal de G contenu dans V, tel que $\chi(U) = 0$, et par $\bar{G}$ (resp. $\bar{V}$) le groupe facteur G/U (resp. V/U). Les homomorphismes sont canoniques. Cela réduit la question au cas où G est fini.

Dans ce cas, soit $\lambda^c : V/V^c \to G/G^c$ l'application induite par l'inclusion. Si α est la classe fondamentale de (G,A), alors $res_V^G(\alpha) = \alpha'$ est celle de (V,A). Par la formule du transfert et du cup produit, on a

$$tr(\zeta_\tau \cup \alpha') = \zeta_{\lambda\tau} \cup \alpha.$$

Mais on sait que le transfert n'est autre que la trace quand on représente $H^0(V,A)$ par A^V. Cela démontre donc notre assertion.

L'assertion (iv) n'est autre que du transport de structure. Nous avons en outre le théorème de limitation.

THEOREME 5 - *Soit* G *un groupe de type Galois,* V *un sous-groupe ouvert,* (G,A) *une formation de classes.*

Alors l'image de $S_G^V(A^V)$ *par* ω_G *est contenue dans* VG^c/G^c, *et* ω_G *induit un isomorphisme*

$$A^G/S_G^V A^V \rightarrow G/VG^c.$$

Démonstration: La première assertion est la propriété (iii) du théorème 4. Réciproquement, comme V est ouvert, nous pouvons nous borner au cas où G est fini. Dans ce cas, il existe $b \in A^V$ tel que $\lambda^c(b,V) = (a,G)$. D'après (iii), ceci est égal à $(S_G^V(b),G)$. Mais on sait que le noyau de ω_G est égal à $S_G A$. Donc a et $S_G^V(b)$ sont congrus mod. $S_G A$. Comme $S_G A \; S_G^V(A)$, on trouve bien ce qu'on veut.

COROLLAIRE - *Soit* G *fini, et* (G,A) *une formation de classes. Posons* $G' = G/G^c$ *et* $A' = A^{G^c}$. *Alors* $S_G A = S_{G'} A'$ *et* $\omega_G, \omega_{G'}$ *sont égaux, leurs noyaux étant* $S_G A$.

THEOREME 6 - *Soit* G *de type Galois et abélien. Soit* (G,A) *une formation de classes. Alors les sous-groupes ouverts* V *de* G *correspondent biunivoquement aux sous-groupes de* A *de type* $S_G^V A^V$, *qui sera dit être son groupe de traces. Si on le note* B_V, *alors on a* $U \subset V$ *si et seulement si* $B_V \subset B_U$, *et* $B_{UV} = B_U \cap B_V$.

Si de plus B *est un sous-groupe de* A^G *tel que* $B \supset B_V$ *pour un* V *ouvert, alors il existe* U *ouvert tel que* $B = B_U$.

Démonstration: Toutes les assertions découlent immédiatement de ce qu'on a fait plus haut, sauf peut-être pour la dernière. Mais pour celle-ci, on peut supposer G fini en considérant $(G/V, A^V)$ au lieu de (G,A). On définit alors $U = \omega_G(B)$. On trouve alors un isomorphisme $B/S_G A \approx U$ et on applique le théorème 5.

Un sous-groupe B de A^G sera dit _admissible_ s'il est le groupe des traces $S_G^V(A^V)$ pour un V ouvert, et on écrit $B = B_V$.

COROLLAIRE - _Soit_ G _un groupe de type Galois, et_ (G,A) _une formation de classes. Soit_ $B \subset A^G$ _admissible,_ $B = B_U$, _et supposons_ U _normal_, G/U _abélien._

Soit V _ouvert dans_ G _et posons_

$$C = S_G^{V\,-1}(B)$$

ceci étant un sous-groupe de A^V. _Alors_ C _est admissible (pour la formation de classes_ (V,A) _et_ C _correspont au sous-groupe_ $U \cap V$ _de_ V.

On discutera en détail plus bas les relations entre formations de classes et extensions de groupes. Nous pouvons dès maintenant formuler le théorème de Shafarevitch-Weil. On remarque que si G est de type Galois, et U normal ouvert, alors U/U^c est un module de Galois pour G, i.e. U^c est normal dans G. En conséquence, G/U opère sur U/U^c, et on a une extension de groupes.

$$(1) \qquad 0 \to U/U^c \to G/U^c \to G/U \to 0.$$

Si en outre (G,A) est une formation de classes, alors l'application de réciprocité

$$\omega_U : A^U \rightarrow U/U^c$$

est un G/U-homomorphisme.

THEOREME 7 - <u>Soit</u> G <u>de type Galois,</u> U <u>normal ouvert d'indice fini,</u> (G,A) <u>une formation de classes. Alors</u>

$$\omega_U : H^2(G/U, A^U) \rightarrow H^2(G/U, U/U^c)$$

<u>applique la classe fondamentale</u> α <u>sur la classe de l'extension de groupe de la suite exacte (1). On peut choisir un système de représentants</u> $(\bar{\sigma})_{\sigma \in G}$ <u>tels que si</u> $a_{\bar{\sigma},\bar{\tau}}$ <u>est un cocycle représentant</u> α, <u>alors</u>

$$(a_{\bar{\sigma},\bar{\tau}}, U) = \bar{\sigma}\,\bar{\tau}\,\overline{\sigma\tau}^{-1} U^c.$$

<u>Démonstration</u>: Soit $V \subset U$ normal dans G, et d'indice fini. Nous ferons éventuellement tendre V vers 1. Par l'application de déflation, il existe un cocycle $b_{\bar{\sigma},\bar{\tau}}$ représentant la classe fondamentale de $H^2(G/V, A^V)$ et des représentants $\bar{\sigma}$ de U/V tels que

$$(2) \quad a_{\bar{\sigma},\bar{\tau}} = S_{U/V}(b_{\bar{\sigma},\bar{\tau}} / b_{\bar{\sigma}\,\bar{\tau}\,\overline{\sigma\tau}^{-1},\, \overline{\sigma\tau}}).\ h \quad b_{h,\bar{\sigma}\,\bar{\tau}\,\overline{\sigma\tau}^{-1}}$$

On trouve donc

$$(a_{\bar{\sigma},\bar{\tau}}, U/V) = \bar{\sigma}\,\bar{\tau}\,\overline{\sigma\tau}^{-1}\, VU^c.$$

Soient $C_1,\ldots,C_m$ les cosets de U dans G. Ils sont fermés, compacts. Formons l'espace produit $(C_1,\ldots,C_m)$ qui est compact. Si $\bar{\sigma}_1,\ldots,\bar{\sigma}_m$ sont des représentants de U/V satisfaisant (2) alors n'importe quels représentants de cosets $\bar{\sigma}_1 V,\ldots,\bar{\sigma}_m V)$ satisferont aussi (2). Le sous-ensemble $(\bar{\sigma}_1 V,\ldots,\bar{\sigma}_m V)$ est fermé dans $(C_1,\ldots C_m)$ et d'après la consistance de l'application de réciprocité, ces sous-ensembles ont la propriété d'intersection finie. Donc leur intersection, prise sur tous les V, n'est pas vide, et il existe des représentants $\bar{\sigma}$ des cosets de U dans G qui donnent tous le même $a_{\bar{\sigma},\bar{\tau}}$.

Notre assertion est maintenant évidente.

3. Groupes de Weil

Soit G un groupe de type Galois, (G,A) une formation de classes. A la fin du numéro suivant, on a vu l'extension

$$0 \to U/U^c \to G/U^c \to G/U \to 0$$

pour tout U normal dans G, et U/U^c est isomorphe à un groupe facteur de A^U, par le groupe des traces. On cherche à former une extension X de A^U par G/U et un diagramme commutatif

$$\begin{array}{ccccccccc}
0 & \longrightarrow & A^U & \longrightarrow & X & \longrightarrow & G/U & \longrightarrow & 0 \\
 & & \downarrow{\scriptstyle \omega_U} & & \downarrow & & \downarrow{\scriptstyle \text{id.}} & & \\
0 & \to & U/U^c & \to & G/U^c & \to & G/U & \to & 0
\end{array}$$

satisfaisant à des propriétés variées, explicitées plus bas.

Le problème sera résolu par la discussion qui suit.

Soit G un groupe fini, et (G,A) une formation de classes. Un <u>groupe de Weil pour</u> (G,A) est un triplet $(E,g,\{f_U\})$ constitué par la donnée d'un groupe E et d'un homomorphisme surjectif

$$E \xrightarrow{g} G \rightarrow 0$$

(i.e. par la donnée d'une extension de groupe) tels que si on écrit $E_U = g^{-1}(U)$ pour tout $U \subset G$ (et donc $E = E_G$) alors $\{f_U\}$ est une famille d'isomorphisme

$$f_U : A^U \longrightarrow E_U/E_U^c.$$

Ces données sont assujetties aux axiomes suivants:

W1.) Pour toute paire de sous-groupe $U \subset V$ de G, le diagramme suivant est commutatif.

$$\begin{array}{ccc} A^U & \xrightarrow{f_u} & E_U/E_U^c \\ \text{inc.} \uparrow & & \uparrow \text{Tr} \\ A^V & \xrightarrow[f_v]{} & E_V/E_V^c \end{array}$$

Les morphismes verticaux sont l'inclusion et le transfert.

W2.) Pour $x \in E_G$, le diagramme

$$\begin{array}{ccc} A^U & \xrightarrow{f_U} & E_U/E_U^c \\ \downarrow & & \downarrow \\ A^{U^x} & \xrightarrow[f_{U^x}]{} & E_{U^x}/E^c_{U^x} \end{array}$$

est commutatif, pour tout sous-groupe U de G.

Les morphismes verticaux sont les morphismes canoniques.

Soient maintenant $U \subset V$ deux sous-groupes de G, et U normal dans V. On a un isomorphisme canonique

$$E_V/E_U \approx V/U$$

et une suite exacte

$$0 \to E_U/E_U^c \to E_V/E_U^c \to V/U \to 0.$$

Alors V/U opère sur E_U/E_U^c et W2 garantit que f_U est un G/U-isomorphisme.

W3.) Si $f_{U*} : H^2(V/U, A^U) \to H^2(V/U, E_U/E_U^c)$ est l'homomorphisme induit, alors l'image de la classe fondamentale de $(V/U, A^U)$ est la classe correspondante à l'extension de groupe définie par la suite exacte ci-dessus.

Enfin une condition de séparation.

W4.) On a $E_1^c = 1$, i.e. un isomorphisme $f_1 : A \rightarrow E_1$; quand U se réduit à 1.

THEOREME 8 - <u>Soit</u> G <u>un groupe fini, et</u> (G,A) <u>une formation de classes. Alors il existe un groupe de Weil pour</u> (G,A).

<u>Démonstration</u>: Soit E_G une extension de A par G,

$$0 \rightarrow A \rightarrow E_G \xrightarrow{g} G \rightarrow 0$$

correspondant à la classe fondamentale de $H^2(G,A)$. Elle est uniquement déterminée à un automorphisme intérieur pris par un élément de A, en vertu du fait que H^1 est trivial (Chapitre précédent), et on a $f_1 : A \rightarrow E_1$, donc W4 est satisfait.

Pour chaque $U \subset G$, on pose $E_U = g^{-1}(U)$, les cas extrêmes étant donc A et E_G. On a donc une suite exacte

$$0 \rightarrow A \rightarrow E_U \rightarrow U \rightarrow 0$$

de sous-extension, et sa classe dans $H^2(U,A)$ est la restriction de la classe fondamentale, i.e. est fondamentale pour (U,A).

Nous pouvons par conséquent former l'extension facteur

$$0 \rightarrow E_U/E_U^c \rightarrow E_G/E_U^c \rightarrow G/U \rightarrow 0$$

si U est normal dans G.

D'après le corollaire 2, Th. 5, Chap. VIII, on sait que le transfert Tr : $E_U/E_U^c \rightarrow A^U$ est un isomorphisme, et on voit immédiatement que c'est un G/U-isomorphisme. Sa réciproque nous permet de définir $f_U : A^U \rightarrow E_U/E_U^c$.

Il est maintenant facile de vérifier que les objets $(E_G, g, \{f_U\})$ forment un groupe de Weil.

Les axiomes W1, W2, W4 sont immédiats, compte tenu de la transivité du transfert, et de sa fonctorialité.

Pour W3, on doit regarder l'application de déflation. Vu la définition en quelque sorte fonctorielle de E_G, on peut supposer $V = G$ dans l'axiome W3. Si α est la classe fondamentale dans $H^2(G,A)$, alors $m\alpha$ est la classe fondamentale de $H^2(G/U,A^U)$, ou plutôt en est l'inflation. Par le corollaire du Théorème 7 du Chapitre VIII, on voit donc que la déflation de la classe fondamentale de α à $(G/U,A^U)$ donne la classe fondamentale de $(G/U,A^U)$, qu'on peut noter β. Mais comme f_U est l'inverse du transfert Tr, on voit par la définition de la déflation que l'axiome W3 est satisfait.

Nous passons maintenant à la question d'unicité. Soit (G,A) une formation de classes, G étant supposé fini. Soient $(E,g,\{f_U\})$ et $(E',g',\{f'_U\})$ deux groupes de Weil associés.

Un <u>isomorphisme</u> ϕ de l'un sur l'autre est un isomorphisme

$$\phi : E \rightarrow E'$$

satisfaisant aux conditions

W1. Le diagramme

$$\begin{array}{ccc} E & \xrightarrow{g} & G \\ \phi \downarrow & & \downarrow \text{id.} \\ E' & \xrightarrow[g]{} & G \end{array}$$

est commutatif.

De la condition W1 on voit que $\phi(E_U) = E'_U$ pour tout U, d'où un isomorphisme

$$\phi_U : E_U/E_U^c \to E'_U/E'^c_U.$$

Nous énonçons alors notre seconde condition:

W2. Le diagramme

$$\begin{array}{ccc} A^U & \xrightarrow{f_U} & E_U/E_U^c \\ \text{id.} \downarrow & & \downarrow \phi_U \\ A^U & \xrightarrow[f'_U]{} & E'_U/E'^c_U \end{array}$$

est commutatif pour chaque sous-groupe U de G.

THEOREME 9 - Si on a deux groupes de Weil associés à la formation de classe (G,A), G étant fini, alors il existe un isomorphisme ϕ de l'un sur l'autre. En outre, ϕ est uniquement déterminé à un automorphisme intérieur de E' par un élément de E'_1 près.

Démonstration: Supposons que ϕ soit un isomorphisme. Alors le diagramme suivant est commutatif par définition.

$$\begin{array}{ccccccccccc} 0 & \to & A & \overset{f_1}{\approx} & E_1 & \to & E & \to & G & \to & 0 \\ & & \Big\downarrow{\scriptstyle id.} & & & & \Big\downarrow{\scriptstyle \phi} & & \Big\downarrow{\scriptstyle id.} & & \\ 0 & \to & A & \underset{f'_1}{\approx} & E'_1 & \to & E' & \to & G & \to & 0 \end{array}$$

Réciproquement, je dis que n'importe quel homomor-
isme ϕ dans ce diagramme qui le rende commutatif est
Weil-isomorphisme. En effet, l'exactitude des suites
rizontales montre que ϕ est un isomorphisme de E sur
, et $\phi(E_U) = E'_U$ pour tout sous-groupe U de G,
nc ϕ induit un isomorphisme.

$$\phi_U : E_U/E_U^c \to E'_U/E'^c_U$$

: on considère le cube:

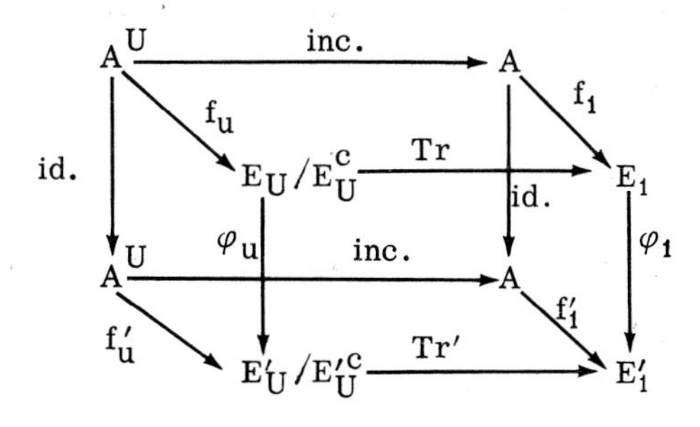

(Le côté du dessus et du bas sont commutatifs par
.) Celui de derrière l'est évidemment. Celui de face
rce que le transfert est fonctoriel. Celui de droite à
use du diagramme précédent. Celui de gauche est donc
mmutatif puisque les morphismes horizontaux sont injec-
fs.

L'étude d'un isomorphisme de Weil est donc ramenée à l'étude de ϕ dans le diagramme. Un tel ϕ existe toujours, puisque les extensions de groupe ont la même classe cohomologique. L'unicité découle du fait que $H^1(G,A) = 0$, compte tenu du Th. 3 du Ch. VIII, qui a été fait exprès pour ça.

On sait que toute formation de classes donne lieu à un tas de formations de classes par restriction et déflation par rapport à un sous-groupe normal. Une fois qu'on a un groupe de Weil pour une grosse formation de classes, on en a un pour chaque intermédiaire. De façon précise:

THEOREME 10 - _Soit_ (G,A) _une formation de classes_, G _étant fini_. _Soit_ $(E_G, g_V, \mathfrak{F})$ _est un groupe de Weil associé_. _Soit_ V _un sous-groupe de_ G. _Alors_:

(i) $(E_V, g_V, \mathfrak{F}_V)$ _est un groupe de Weil associé à_ (V,A) _si_ $E_V = g^{-1}(V)$, g_V _est la restriction de_ g _à_ E_V, _et_ $\mathfrak{F}_V$ _est la sous-famille de la précédente_, _les_ U _parcourant les sous-groupes de_ V.

(ii) _Si_ V _est normal, alors_ $(E_G/E_V^c\ , \bar{g}\ , \bar{\mathfrak{F}})$ _est un groupe de Weil associé à la formation de classes_ $(G/V,A^V)$, _la famille_ $\bar{\mathfrak{F}}$ _étant constituée par les isomorphismes_

$$\bar{f}_U : A^U \to E_U/E_U^c \approx (E_U/E_V^c) / (E_U^c/E_V^c)$$

et les U _parcourant les sous-groupes de_ G _contenant_

Démonstration: Evidente.

Cette propriété de permanence par passage au quotie

t au sous-groupe nous permettra éventuellement de prendre ne limite projective.

Nous allons maintenant voir que les isomorphismes $_U$ se comportent exactement comme les isomorphismes de éciprocité, et en fait les induisent.

HEOREME 11 - Soit G fini, (G,A) une formation de lasses. $(E_G, g, \mathfrak{F})$ un groupe de Weil associé. Soit V n sous-groupe de G. Alors le diagramme suivant est ommutatif.

$$\begin{array}{ccc} A^V & \xrightarrow{f_V} & E_V/E_V{}^c \\ S_G^V \downarrow & & \downarrow \text{inc.} = i \\ A^G & \xrightarrow[f_G]{} & E_G/E_G^c \end{array}$$

émonstration: Comme on n'a pas supposé V normal dans , on doit se ramener à ce cas au moyen d'un cube.

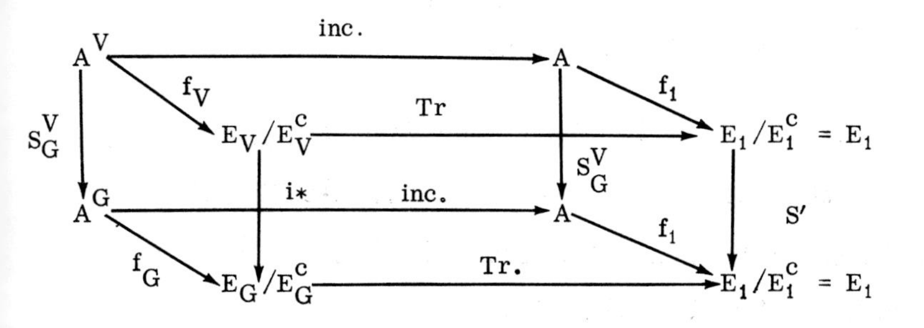

L'application S_G^V se fait au moyen de représentants de cosets de V dans G, dans l'arête verticale de droi derrière. Celle de devant, S', se définit de sorte que la face de droite soit commutative, c'est-à-dire qu'on re monte ces représentants dans E_G au moyen de g^{-1}. Autrement dit, si $G = \cup \sigma_i V$, on choisit $u_i \in E_G$ tels que $g(u_i) = \sigma_i$ et on définit.

$$S'(x) = \prod_i x^{V_i} \pmod{E_1^c}$$

On notera que $E_G = \cup u_i E_V$, i.e. que les u_i repr sentent les cosets de E_V dans E_G. Nous sommes donc ramenés à montrer que

$$S'(Tr(u)) = Tr(i_* u) \quad \text{pour} \quad u \in E_V/E_V^c$$

i.e. a montré que la face de devant est commutative. Cel montrera bien que celle de gauche l'est. Mais le fait qu la face de devant est commutative est immédiat si l'on ex plicite la définition du transfert (on le laisse au lecte Cela termine la démonstration.

COROLLAIRE 1 - <u>Soit</u> (G,A) <u>une formation de classes</u>, G <u>étant fini</u>, <u>et</u> $(E_G, g, \mathfrak{F})$ <u>un groupe de Weil associé</u>. <u>Alors si</u> $U \subset V$ <u>sont deux sous-groupes de</u> G, f_U <u>et</u> f_V <u>induisent des isomorphismes</u>

$$A^V/S_V^U(A^U) \approx E_V/E_U/E_V^c$$

$$S_V^{U\ -1}(1) \approx (E_U \cap E_V^c) \ / \ E_U^c$$

COROLLAIRE 2 - _Si_ U _est normal dans_ V, _le premier isomorphisme du corollaire précédent est l'isomorphisme de réciprocité, compte tenu de l'isomorphisme_

$E_V/E_U/E_V^c \approx V/U$.

Démonstration: Ce résultat est essentiellement le même que celui du Théorème 7. Il se voit en explicitant le transfert qui donne Nakayama. On laisse le détail au lecteur.

Nous allons maintenant donner un sketche du procédé qui nous permettra de passer à la limite projective des groupes de Weil.

Pour cela, nous avons besoin de donner au module A une structure topologique.

Soit G un groupe de type Galois, et $A \in \text{Galm}(G)$. Nous dirons que A est un module de _Galois topologique_ si les conditions suivantes sont satisfaites:

top. 1. Chaque A^U (U ouvert dans G) est un groupe topologique, et si $U \subset V$, la topologie de A^V est induite par celle de A^U.

top. 2. G opère continûment sur A, et pour chaque $\sigma \in G$, l'application $A^U \rightarrow A^{U^\sigma}$ est continue (et donc bicontinue à cause de σ^{-1}).

On remarque que si $U \subset V$, la trace $S_V^U : A^U \rightarrow A^V$ est continue.

Soit G de type Galois et $A \in \text{Galm}(G)$ topologique.

Si (G,A) est une formation de classes, on dira alors que c'est une <u>formation de classes topologique</u>. Un groupe de Weil associé à une formation de classes topologique est un triplet $(E_G, g, \mathfrak{F})$ constitué d'un groupe topologique E_G, d'un morphisme $g : E_G \rightarrow G$ (pour la catégorie de groupes topologique, i.e. homomorphisme algébrique qui est continu) dont l'image est dense dans G, (de sorte qu'on a un isomorphisme $E_V/E_U \approx V/U$ pour deux sous-groupes ouverts $V \supset U$, avec U normal dans V), et d'une famille d'isomorphisme $f_U : A^U \rightarrow E_U/E_U^c$ (de nouveau pour la catégorie de groupes topologiques et un c désignant la clôture du groupe des commutateurs) satisfaisant aux axiomes WT 1-4 analogues aux précédents, à savoir:

WT1. Pour chaque paire de sous-groupes ouverts $U \subset V$ de G, le diagramme suivant est commutatif:

$$\begin{array}{ccc} A^U & \xrightarrow{f_U} & E_U/E_U^c \\ {\scriptstyle \text{inc.}}\downarrow & & \downarrow{\scriptstyle \text{Tr}} \\ A^V & \xrightarrow[f_V]{} & E_V/E_V^c \end{array}$$

(Ce transfert a un sens, car on voit qu'il applique la clôture du groupe des commutateurs dans icelle de l'autre. Dorénavant, c'est de ce transfert qu'on traitera.)

WT2. Soit $x \in E_G$, $\sigma = g(x)$. Alors le diagramme

$$\begin{array}{ccc} A^U & \xrightarrow{f_U} & E_U/E_U^c \\ \sigma \downarrow & & \downarrow x \\ A^{U^\sigma} & \xrightarrow[f_{U^\sigma}]{} & E_{U^x}/E^c_{U^x} \end{array}$$

est commutatif, pour tout sous-groupe ouvert U de G.

WT3. Si $U \subset V$ sont des sous-groupes ouverts de G, U normal dans V, alors la classe de l'extension

$$0 \to A^U \approx E_U/E_U^c \to E_V/E_U^c \to E_V/E_U \approx V/U \to 0$$

est la classe fondamentale de $H^2(V/U,A^U)$.

WT4. L'intersection $\bigcap E^c{}_U = 1$, prise sur tous les sous-groupes ouverts U de G.

Pour démontrer l'existence d'un groupe de Weil topologique, on aura besoin de deux conditions suffisantes.

THEOREME 12 - _Soit_ G _un groupe de type Galois_, $A \in Galm(G)$ _et_ (G,A) _une formation de classes topologique satisfaisant les conditions suivantes_:

top. 3. _La trace_ $S_V^U : A^U \to A^V$ _est un morphisme ouvert pour chaque paire de sous-groupes ouverts_ $U \subset V$ _de_ G.

top. 4. _Le groupe facteur_ A^U/A^V _est compact_.

Alors il existe un groupe de Weil topologique associé à la formation.

Démonstration: Nous ne donnons que la remarque suivante. Dans le théorème d'unicité pour le groupe de Weil quand G est fini, on sait que l'isomorphisme ϕ n'est déterminé que par un automorphisme intérieur près par un élément de $A = E_1$. Si on veut faire une limite projective, on a besoin de trouver un système compatible de groupes de Weil, et ceci pour chaque U, de sorte que ce sont les A^U qui interviennent. L'hypothèse de compacité est précisément suffisante pour prendre un système cohérent de groupes de Weil pour $(G/U, A^U)$ quand U parcourt la famille des sous-groupes ouverts normaux de G.

Ceci dit, nous laissons le reste au lecteur, principalement parce que le rédacteur en a marre de rédiger.

TABLE DE NOTATIONS

Nous résumons ici quelques unes des notations les plus employées.

S_G :	La trace, pour un groupe fini, $\sum_{\sigma \in G} \sigma$
S_G^U :	La trace relative, d'un sous-groupe d'indice fini U à G
A^G :	Eléments fixes de A par G
A_G :	Module facteur de A par $I_G A$
I_G :	Idéal d'augmentation, engendré par les $(\sigma - 1)$
$\mathbf{Z}[G]$:	Anneau du groupe
M_G :	Fonctions (quelquefois continues) de G dans A
$\mathbf{M}_G$:	$Z(G) \otimes A$
κ_G :	Morphismes de A^G dans $H^0(G, A)$
Ж$_G$:	Morphismes de A_{S_G} dans $\mathbf{H}^{-1}(G, A)$
G_p :	Un groupe de Sylow de G
Mod(G):	Catégorie abélienne des G-modules
Mod($\mathbf{Z}$):	Catégorie abélienne des groupes abéliens
$h_{2/1}$:	Quotient de Herbrand, quotient des ordres de H^2 par H^1
$\hat{G}$:	Groupe des caractères
G^c :	Groupe des commutateurs, ou sa fermeture si G est topologique
$\hat{A}$:	Homomorphisme de A dans $\mathbf{Q}/\mathbf{Z}$
$A_{(p)}$:	Elément de A annulés par une puissance de p
Galm(G):	Modules de Galois
Galm_t (G):	Modules de Galois de torsion

$Galm_p(G)$:	Modules de Galois A tels que $A = A_{(p)}$
cd:	Dimension cohomologique
Z_p :	$\mathbf{Z}/p\mathbf{Z}$
Tr:	Transfert de la théorie des groupes
tr:	Transfert de la cohomologie
H_G :	Foncteur tel que $H_G^0 = A^G$
$\mathbf{H}_G$:	Foncteur tel que $\mathbf{H}_G^0 = A^G/S_G A$
A_φ :	Si φ est un morphisme de A, c'est son noyau
A_m :	Noyau du morphisme m: $A \to A$ tel que $a \to ma$

INDEX

Aboutissement de la suite spectrale, 156
Anneau de cohomologie, 118
Application de réciprocité, 236

Caractères, 123
Catégorie des modules, $Galm_p(G)$, 186
  de Galois, Galm(G), 170
  de torsion, $Galm_t(G)$, 185
Catégorie multilinéaire, 97
Classe fondamentale, 227
Class-module, 94
Complexe standard, 33
Composante locale, 72
Conjugaison, σ_*, 53
Consistance, 236
Cup, 99
Cup foncteur cohomologique, 101
Cupping augmenté, 146

Deflation, def, 223
δ-foncteur, 1
Deuxième théorème d'unicité, 5
Dimension cohomologique, cd, 186
  stricte, scd, 186
Dualité, théorème de, 123

Effaçable à droite, 2
Effaçable à gauche, 3
Extension d'un groupe abélien, 211

Filtration, 155
Foncteur, d'effaçabilité à droite spécial, 105
  d'effaçabilité à gauche spécial, 106
  spectral, 157
Formation, de classe topologique, 254
  de classes, 225

G-anneau, 118
G-morphisme, 12
G-régulier, 21
Grab, 12
Groupe, de Sylow, 64
  de Weil, 244
Groupe de type Galois, 165
  p-extensif, 193

$Hom_G(A, B)$, 12

Inflation, $inf_G^{G/G'}$, 51
Invariant, $inv_G\ \alpha$, 227
Isomorphismes, edge, 158
  extrêmes, 158

Jumeaux, théorème des, 85

Lemme de Herbrand, 43
Limitation, théorème de, 239

$M_G(B)$, 15
M_G^S, 66
Mod(G), 12
Mod(R), 12
Module de Galois topologique, 253
Morphisme de lifting, lif_G^G, 48

Nombre supernaturel, 168

Objet filtré, 155

p-groupe, 169
Premier théorème d'unicité, 4
Produit, de Tate, 145
  tensoriel, 99
Projectif, 21

Quotient de Herbrand, 43

Résolution complète, 34
Restriction, Res_G^G, 50

Semi-local relativement à U, 71
Splitting (foncteur), 4
Suite spectrale, 155
  positive, 157

Tate, théorème de, 92
Trace, d'un sous-groupe, 14
Transgression, tg, 161
Transfert, tr_G^U, 55
Translation, tsl_*, 59
Triplets, théorème des, 84
  théorème pour les cup-produits, 116